コロナ恐慌を生き抜く

# ジム・ロジャーズ お金の新常識

Jim Rogers

ジム・ロジャーズ

朝日新聞出版

# はじめに

日本は、1955年から2005年までの50年間で世界で最も成功した国だった。何もかもがエキサイティングで、日本が生み出した先端技術や文化は世界の人々を魅了した。もちろん、私も日本に魅せられたうちの一人だった。

だが、それも今では「だった」と過去形で述べることしかできなくなってしまった。現在の日本は、誰の目から見ても衰退の過程にあるからだ。

8月28日、安倍晋三氏が首相を辞任するというニュースが飛び込んできた。だが、国際的な影響はなかった。今後、「アベノミクス」という名称は変わるだろうが、次の首相は安倍氏の間違った政策を引き継ぐ。これでは、日本が抱える問題は解決できない。

新型コロナウイルスは世界を一変させた。そして、日本が世界のトップを走っていた1985年当時の繁栄は二度と戻ってこない。日本政府の債務は膨張を続けて1千兆円を超え、人口減少が加速している。子供の数は少なくなる一方なのに、その子供たちが背負わなければならない借金の額は増え続けているからだ。

誤解しないでいただきたいが、私は今でも日本のことが大好きだ。自然豊かで食事はおいしく、人々は親切で礼儀正しい。私は世界中を旅してきたが、日本ほど良い国はない。残りの人生を日本で過ごしたいと本気で思っている。

だからこそ、今の日本の現状を憂慮している。

これは誰のせいか？　世界の覇権を握ってきたアメリカか。急成長した中国か。それとも日本から半導体産業を奪った韓国か。私の答えは、いずれも「NO」だ。日本の衰退は、過去の20年間で日本人が自ら選んできた選択の結果でしかない。

日本が誤った選択をし続けた20年の間に、世界の構造は一変した。

アメリカ一強時代は終わりが近づき、中国が新たな覇権国として台頭しはじめた。香港に対する高圧的な振る舞いが注目されているが、中国の影響力はアジアだけではなく、アフリカでも強まっている。

19世紀はイギリスの時代、20世紀はアメリカの時代だった。21世紀は間違いなく中国と成長著しいアジアの世紀になる。日本では「ミサイルと食糧不足の国」としか思われていない北朝鮮も、今後、世界が注目する投資先になるだろう。繁栄するアジアに属していない日本はどうなってしまうのか。答えはシンプルである。「すべてのものが、より少なくなる」ということだ。

家の中にあるテレビの台数が減る。車を所有する人も減る。家具が減り、海外旅行に行かなくなる。債務が積み上がり、人口が減って経済の規模が縮小すれば、生活水準を下げずに生きていくことは不可能だからだ。

コロナは世界中で感染を拡大させたが、世界でも類を見ない債務の増大と人口減少を続ける日本には、今後、厳しい現実が待ち受けている。

世界中でこれまで常識とされてきたことが一気に変わる。日本もその流れに逆らうことはできない。それは、これまで何もなかったことが新しく生まれるわけではない。一部の人しか知らなかった出来事が、危機をきっかけに一般化し、「ニューノーマル」が世界を支配するのだ。

人々の常識は15年で一変する。ベトナム戦争が泥沼化した1970年代に、1989年にアメリカと旧ソ連の東西冷戦が終結すると予想した人はどれだけいただろうか。その1989年には中国で民主化を求める天安門事件が起きたが、その15年後に中国が世界の経済大国になると考えていた人はいるだろうか。常識は変わっていくのだ。

本書の目的は、その「ニューノーマル」が支配する新しい世界での生き方を示すことにある。常識が変われば、お金の流れも変わる。その動きを見極めることは、投資家としての私の仕事の重要な部分を占めている。激動の時代だからこそ、日本の人々も自分自身を新しく教育し直さなければならない。それが日本人が生き残る道だ。

もちろん、私の意見に賛同できない人もいるだろう。それでいいのだ。私が言っているからといって、無批判にすべてを信じてしまうことが最も危険だ。自らの頭で考え、そして、みなさんがそれぞれ行動に移してほしい。それは、本書を通じて伝えたかった隠れたテーマの一つでもある。

危機が訪れ困難が降りかかると、あらゆる変化のスピードが速くなる。しかし、時代が変化する時は、チャンスでもあるのだ。新しく生まれ変わるために、何を学ばなければならないのか。本書がそのことを知るきっかけになれば、幸いである。

2020年8月

ジム・ロジャーズ

# ジム・ロジャーズ お金の新常識

コロナ恐慌を生き抜く

JIM ROGERS

目次

## 第2章　ジム流投資のやり方

## 第3章 国際情勢でわかる投資のタネ

## 第4章 日本はなぜダメなのか

## 第5章　若者に伝えたいこと

## 本書の初出・構成について

本書は、「週刊朝日」に掲載したジム・ロジャーズの連載「世界３大投資家ジム・ロジャーズがズバリ予言 2020年、お金と世界はこう動く」のうち、2020年１月17日号から９月11日号までを再構成し、大幅に加筆・修正したものです。連載は2019年12月から2020年８月までシンガポールで６回行ったジム・ロジャーズへのインタビューに基づいています。再構成、加筆・修正にあたっては、これらのインタビューの内容をふんだんに盛り込みました。また、巻末に掲げたジム・ロジャーズの既刊書を参考に補足した部分や、ジム・ロジャーズの見解の趣旨に沿う形でデータなどを加えた部分があります。

週刊朝日編集部

第1章

# コロナ後の世界、こうなる

## 1　東京オリンピックは2021年夏に開催せよ　国を閉じてはならない

2020年、日本は元号が「令和」になって初めての正月を迎えた。多くの人が人生の成功へ向けて、決意を新たにしたことだろう。

それが新型コロナウイルスが発生し、世界的なパンデミックに発展したことで状況は一変してしまった。これまで常識とされてきたことは大きく変わった。

日本人にとって2020年の最大の関心事は、東京オリンピック・パラリンピックだったのではないか。何しろ56年ぶりの東京開催である。

ところがコロナの拡大で同年3月、オリンピックは1年延期されることが決まった。当時から1年後の開催について心配する声があったが、夏に東京を中心に日本中で感染が再拡大した結果、その懸念が再び強まっている。2021年夏の東京オリンピック開催が危ぶまれているのだ。

開催しても観客が集まらない、そもそも各国で選考大会も開けない、たとえ代表が決まっても選手が日本に来ることができるのか……。懸念される様々な点をあげていけば、きりがないほどだ。

## 規模縮小で開催、過去に実例がある

だが、私が日本のリーダーなら東京オリンピックを予定通り開催するだろう。それは、歴史をひもとけばわかることだからだ。

1980年代のオリンピックを思い出してほしい。

東西冷戦下にあった1980年のモスクワ・オリンピックでは、旧ソ連（現ロシア）のアフガニスタン侵攻に抗議して、アメリカや日本など西側諸国が集団ボイコットをした。4年後の1984年のロサンゼルス・オリンピックでは、その集団ボイコットに報復する形で、今度はソ連や東ドイツなど東側諸国が参加しなかった。

二つの大会は、国際政治の影響を受けて選手や観客を十分に集めることはできなかった。それでもオリンピックは開催された。規模を縮小しても予定通りオリンピックを開催した例が過去にあるのだ。

もちろん、東京オリンピックを開催することのリスクはある。コロナによって人々の不安が高まり、ヒステリックな心理が蔓延している今の状況では、通常通りの開催は難しい。それでも前へ進もうとすることが大切だ。それが私の流儀だ。

この危機をチャンスとして生かさなければならない。なぜか。人は、危機を乗り越えようとすることで前に進むからだ。オリンピックを開催すれば、人々は念入りに準備し、現在の状況に適応できるようになる。

大会を開催すれば、感染症の発生などいろんな問題も起きるだろう。だが、それで「大会は失敗に終わった」とはならない。最高レベルの成功は難しくても、今から入念に準備をすることでリスクを下げ、失敗を最小限に抑えることはできるはずだ。

## リスクを覚悟して前に進む

では、仮に東京オリンピックが中止になったらどうなるか。

日本は、オリンピックに1兆円を超える投資をしてきている。新しいスタジアムも建設した。民間では東京にホテルを建てた企業もある。これらの投資は、大会が開催されなければ多額の損失となる。

もう一つ、歴史から学ばなければならないことがある。

東西冷戦でオリンピックが縮小された1980年代とは違い、今回は世界規模で新しい疫病が流行している。だが、人類は歴史を通じて何度も恐ろしい疫病を経験してきた。ところが、今回は世界の歴史で初めてのことが起きた。疫病が、経済をストップさせたのだ。驚くべきことに、世界中のマクドナルドで閉店や業務縮小が相次いだ。

2009年にはメキシコから新型インフルエンザ（H1N1）が流行したが、ここまで経済がストップすることはなかった。1918年にスペイン風邪が流行った時もそうだ。

コロナはたしかに恐ろしいウイルスで、特に高齢者は感染すると重症化するリスクが高い。ただ、未知のウイルスとの遭遇はかつて経験したことのある出来事だ。それが2020年は学者やメディア、政治家たちが率先して「国を閉じるべきだ」と叫んだ。

一方で、ご存じだろうか。北欧のスウェーデンは、この状況下でも国を閉じなかった。その結果、スウェーデンが他の国に比べて突出して悪い影響が出ているかというと、そういうわけではない。危機の時でも、リスクを覚悟して前に進まなければならないことを示す一つの例だ。

こんな意見を私が主張しても、2020年夏の状況では誰も、理解し、賛成してくれないかもしれない。それでもあと3、4年もすれば、実際に誰が正しい判断をしていたのかがわかるはずだ。

日本は、これまでも大きな自然災害にたびたび襲われている。2011年には巨大な津波が日本を襲った。それでも日本は前に進んできた。今回も同じだ。東京オリンピックは開催すべきである。

## しかし、東京オリンピックは日本を幸せにはしない

ただし、東京オリンピックが開催されたからといって、コロナ禍でさらに危機的な状況が強まっている日本経済が回復に向かうわけではない。

どの国の政治家もメディアもオリンピックが大好きだ。こうした人たちにとっては、自国でオリンピックが開かれると、余程良いことがあるのだろう。しかし、実際は、オリンピックがホスト国に何か良いものをもたらした例はないのだ。

もし、「オリンピックが経済を救う」と本気で考えているのだとしたら、それはたいへんな誤解だ。海外からの旅行客が増えて、宿泊施設も予約で埋まり、観光地やレストランも少しは賑わうかもしれないが、それはオリンピックが開催されている期間だけに限定された需要に過ぎない。

むしろオリンピックを開催したために、ホスト国の借金が増えてしまうのが実情だ。だからこの先、東京オリンピックが盛大に開かれたとしても、それによって日本経済が好転することはありえないだろう。

その理由はシンプルだ。第4章で詳しく述べるが、日本は1千兆円を超えて膨れ上がる債務に、人口減少という問題も同時に抱えているからだ。

それでも、政治家たちは借金を増やす考え方を変えていない。1990年代であれば、日本全国に高速道路を建設することもできただろうが、今から10年後にも同じことができるとは思えない。

どの国の政治家もやることは同じだ。選挙が近づくと財政出動をする。誰も反対しないし、再選したい政治家にとってはそれが一番ありがたい。

しかし、10年後の選挙でも同じであるとは限らない。債務が巨額になりすぎているからだ。

本来、多額の借金を抱えている日本がすべきことは、チェーンソーで支出をバッサリ削減すること。残念だが日本では起こりえないドラマチックで残酷な政策だ。

これまでの私の話に、反論したい人もいるだろう。アベノミクスの第1の矢である日本銀行の金融緩和は、通貨の価値を円安に誘導し、日本の株価を押し上げることに効果を発揮した。

そうであっても、これで日本企業が復活したと考えるのは間違いだ。

いや、思わずアベノミクスにまで話が及んでしまった。私はアベノミクスほどでたらめな政策はないと思っているが、これ以上は第4章での発言に譲ることにする。気になる読者は、先に第4章に進んでもらっても構わない。

## 借金礼賛、MMTが登場した理由

むしろ、ここで指摘しておきたいのは、危機が深まってくると、「その危機は本当の危機ではない」とでもいわんばかりの「理論」が登場することだ。

今、日本の若い人たちは生まれながらにして、先ほど述べたような巨大な借金という重い荷物を背負っている。これから彼らは、巨額の債務負担を抱えながら人生を過ごしていかなければならない。

であるのに日本政府は、コロナ対策で100兆円を超える予算を計上し、さらに債務を積み上げている。

そこに現れたのが、「MMT(Modern Monetary Theory、現代貨幣理論)」という経済理論だ。これは、政府は自国通貨を際限なく発行できるので、物価の急上昇が起こらない限り、政府の債務残高(借金のことだ)がどれだけ増加しても問題はない、つまり財政赤字を気にせずに財政出動してもよいとする考え方だ。

確か、提唱者の一人であるアメリカの女性経済学者は、「日本はMMTのよい例だ」などという趣旨の発言をしていた。そんな話に気を良くしたのか、今になって多くの人たちが「さあ、MMTだ」と言うようになった。

しかし私には、MMTを持ち出す人たちは、「今日、お金がほしい」「今夜、もっとお金がほしい」と言っているにすぎないように映る。深刻な問題が起きているのに、彼らは安易に答えを導きだそうとしているだけとも思える。

確かに、この理論に従えば、まだまだ借金を続けてもよいことになる。コロナで落ち込んだ経済に対処するには、借金を増やしたほうが楽だ。中央銀行にお金を刷り続けるように指示をすれば済むからだ。

しかしMMTを続けていくと、無責任な投資が増え、マネーの効率的な配分が邪魔されるようになるだろう。そして最終的には通貨に影響が出ると思う。

MMTを続ければマネーの価値は下がり、いつかは高いインフレが起きるだろう。そうなると、経済社会の様々なところに想定外の影響が出るようになる。MMTで得をする人もいるだろうが、損をして苦しむ人がたくさん出てくる。

MMTはマルクス経済学に似ているように感じる。

マルクス経済学に沿って作られた社会主義経済は失敗に終わったが、最初は多くの人がマルクスの言うことに耳を傾け、その通りに実行していた。今ではそれは誤りで、完全におかしくて間違っていたことを私たちは知っているが、人々はそれが実現できると思ってやっていた。誤りに気づくまで長い年月がかかってしまったのである。

しかし、逆に言うと、人々がマルクス経済学を実践しようとするほど、当時の資本主義社会は深刻な問題を抱えていたともいえる。

実はMMTについても同じ状況があるように思う。借金問題に苦しんでいるのは日本だけではないのだ。アメリカもイギリスもそうだし、中国だって例外ではない。MMTに人々が安易な答えを得ようとするほど、世界の借金問題は深刻になっている。

世界が直面している最大の問題は、多くの国が債務という借金を抱え、しかもその状況がコロナによって加速していることなのだ。このことを次の節で詳しく説明しよう。読み終えたとき、あなたはきっと背筋に寒気を覚えているはずだ。

## 2　膨れ上がる借金が世界を押しつぶす　そして人生最悪の危機が来る

これから世界の経済はどう動くのか。

世の中は今、不安定な状況だ。それを考えるとき最も大事なことは、私たちが「大きな時代の変化の中にいる」と意識することだ。今起きていること、これから起きようとしていることも、歴史をひもとけばおのずと見えてくる。

私は、新型コロナの問題が起こる前から、次の経済危機は「誰にとっても人生最悪のものになる」と話してきた。

新型コロナによって新たな危機がやってきたわけではない。これまであった危機が加速するのである。

## 危機がやってくる理由

今の世界経済は、２００７年から２００８年にかけて起こったリーマンショックに端を発する世界金融危機の前夜に似ている。

多くの国で債務が高く、高く積み上がっている。ここまでくると世界各国の経済運営が健全なレベルに回復するのは難しい。

例えばアメリカは新型コロナが流行する前から、これまでの世界の歴史の中で最悪の債務国になっていた。言うまでもないが、債務とは借金のことにほかならない。借金が膨れ上がっているのに、新型コロナウイルスで経済が縮小したことで景気回復のために借金をさらに増やした。

アメリカだけではない。海外からの多額の借金、つまり対外債務を抱え前年比2桁のインフレに苦しむトルコでは、アメリカのトランプ大統領が鉄鋼やアルミニウムへの関税引き上げを表明したことをきっかけに通貨・リラが暴落した。

トルコショックは、19世紀の建国以来、何度も債務不履行（デフォルト）を経験している南米のアルゼンチンにも飛び火した。アルゼンチンは2020年5月に9回目のデフォルトを起こした。

インドでは一部のノンバンクで流動性不足が表面化したのをきっかけに、「影の銀行（シャドーバンキング）」全体で信用リスクへの懸念が広がっている。

これらは新型コロナが流行する前から起きていたことだ。

## 1929年の大恐慌前と同じ状況

世界の状況について多くの人が答えを知りたがっている。具体的には新型コロナが世界恐慌の引き金になるのかということだろう。次ページにIMFの成長率予測を掲げておいたが、恐慌になるかどうかに対する私の答えはこうだ。「イエス」であり、「ノー」でもある。

その理由を説明しよう。

新型コロナによって経済の収縮が始まり、世界中の政府がパニックになった。本来であれば、すでに経済危機が起きていてもおかしくないほどの衝撃だ。

## IMFの世界経済見通し(WEO)による成長率予測

| (実質GDP、年間の増減率、%) | 2019年 | 2020年 (予測) | 2021年 (予測) |
|---|---|---|---|
| 世界GDP | 2.9 | -4.9 | 5.4 |
| 先進国・地域 | 1.7 | -8.0 | 4.8 |
| アメリカ | 2.3 | -8.0 | 4.5 |
| ユーロ圏 | 1.3 | -10.2 | 6.0 |
| ドイツ | 0.6 | -7.8 | 5.4 |
| フランス | 1.5 | -12.5 | 7.3 |
| イタリア | 0.3 | -12.8 | 6.3 |
| スペイン | 2.0 | -12.8 | 6.3 |
| 日本 | 0.7 | -5.8 | 2.4 |
| イギリス | 1.4 | -10.2 | 6.3 |
| カナダ | 1.7 | -8.4 | 4.9 |
| その他の先進国・地域 | 1.7 | -4.8 | 4.2 |
| 新興市場国と発展途上国 | 3.7 | -3.0 | 5.9 |
| アジアの新興市場国と発展途上国 | 5.5 | -0.8 | 7.4 |
| 中国 | 6.1 | 1.0 | 8.2 |
| インド | 4.2 | -4.5 | 6.0 |
| ASEAN原加盟国5カ国 | 4.9 | -2.0 | 6.2 |
| ヨーロッパの新興市場国と発展途上国 | 2.1 | -5.8 | 4.3 |
| ロシア | 1.3 | -6.6 | 4.1 |
| ラテンアメリカ・カリブ諸国 | 0.1 | -9.4 | 3.7 |
| ブラジル | 1.1 | -9.1 | 3.6 |
| メキシコ | -0.3 | -10.5 | 3.3 |
| 中東・中央アジア | 1.0 | -4.7 | 3.3 |
| サウジアラビア | 0.3 | -6.8 | 3.1 |
| サブサハラアフリカ | 3.1 | -3.2 | 3.4 |
| ナイジェリア | 2.2 | -5.4 | 2.6 |
| 南アフリカ | 0.2 | -8.0 | 3.5 |
| 低所得途上国 | 5.2 | -1.0 | 5.2 |

出所:国際通貨基金(IMF)2020年6月『世界経済見通し(WEO)改定見通し』

そこで各国の政府は何をしたか。何と、さらなる借金を積み上げて、人工的な刺激を経済に与えることにした。この対策は、長期的には経済を悪化させることがわかっているにもかかわらずだ。

でも誰が長期的なことを気にするのか。政治家にとっても国民にとっても投資家にとっても、借金を積み上げることは短期的には最高だ。

お金を刷って経済を刺激すれば経済危機は回避できる。もしかすると経済危機が起きる前にバブルになるかもしれない。

しかし、それはいつまでも続く話ではない。次の経済危機は２０２１年から２０２２年にかけて訪れる可能性もある。水面下では、動きがすでに始まっている。

１９２９年、ウォール街が大暴落した世界大恐慌もそうだった。

それまで失速していたアメリカ経済は、実は大恐慌の直前に上昇していた。多くの紙幣を刷れば、株式市場は上昇する。歴史をひもとくと、過去にもそういうことは何度も起きている。

今の世界経済は「金融緩和」の名のもとに、多くの紙幣が刷られ株価を支えようとしている。まさに１９２９年と同じ状況だ。

**主要国の債務残高**（対GDP比）

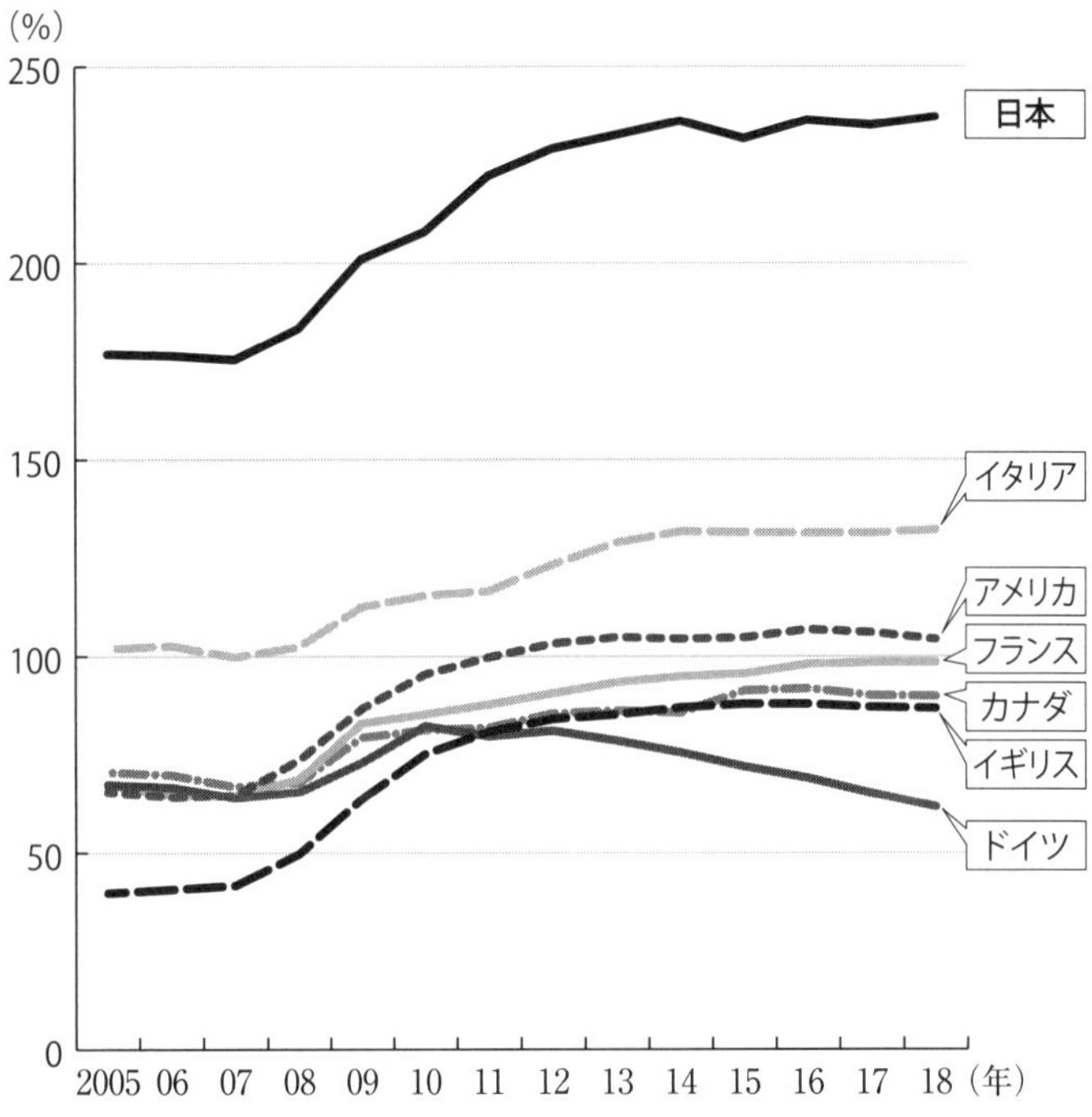


出所：財務省ホームページ

楽観的なシナリオを持つ人もいるかもしれない。

２０２０年の状況で、世界経済の最大の火種は米中貿易摩擦である。もし、政治家たちが米中貿易摩擦を「無事に解決した」と宣言し、アメリカにとっても中国にとっても日本にとっても、みんなが「ハッピー」な解決をみたとしよう。もちろん、世界経済は大爆発を起こし、株価は激しく上昇するだろう。

では、賢い人はどう動くか。ベストの選択は、経済が大爆発する直前に「持ち株をすべて売る」だ。

歴史は明確である。学術的な研究をみても、対ＧＤＰ（国内総生産）比で債務が１００％を超えると、債務を抱えていない国に比べて成長が遅くなる。つまり、世界の国々で債務が加速度的に増えれば、世界全体の景気回復が遅くなるということだ。その影響は長期間に及ぶことになるだろう。米中貿易摩擦が解消しても効果は限定的だ。

## 若者が挑戦できる社会か

もう一度言う。これは私の意見ではない。歴史的な事実だ。私たちは「大きな時代の変化の中にいる」のである。

多額の債務は将来世代に悪い影響を与える。

借金がなければ、若者はいろんなことに挑戦できる。選択肢も広がる。それが大量の借金があるとどうなるか。新しいビジネスを始めることはできず、債務の中で沈んでしまうに違いない。

ある若者が、友人と一緒に新しいビジネスのアイデアを得たとしよう。

通常であれば「失敗してもいいから、挑戦してみようよ」となる。若者に失敗はつきものだからだ。

ところが、多額の借金を抱えていたらどうなるか。おそらく「こんなビジネスはできないよね」「やめておこう」となるだろう。周囲の人たちも同じだ。その若者に投資しようとしない。自分が借金を抱えているからだ。

債務がなければ速く走れる。新しいことに挑戦できる。アイデアのある若者をみんなが応援する。

逆に、債務が大きすぎると若者は荷物が重すぎて走れなくなる。そして、その若者を助けようとする人もいなくなる。

１９２０年代のイギリスのように、それ以前の１００年のような速度でアメリカは成長できなくなった。

現在の日本も同じだ。膨れ上がる債務に、日本は人口減少という問題も同時に抱えている。アメリカ以上に問題は深刻かもしれない。

それは今の日本の状況を見れば理解できるだろう。若者が挑戦できない社会は衰退していくのである。

## 3　深まる米中対立　21世紀は中国の時代

新聞やテレビなどすべてのメディアは、「私たちこそが真実を報道している」と主張している。それは果たして本当だろうか。私は新聞を1紙だけ読んでも、真実は何もわからないと思っている。私がなるべく多くの新聞に目を通すようにしているのは、そのためだ。

アメリカと中国の対立についても同じだ。アメリカと日本の新聞の報道だけを見ていては、世界で何が起こっているのかはわからない。中国やロシア、新興国のメディアにも目を通しているうちに、何となく本質が見えてくることもある。

こんなこともあった。

2020年1月、アメリカとイランの対立が先鋭化した時、世界中のメディアは「第3次世界大戦の勃発か」とあおったが、実際にはそうならなかった。そうやって書かなければ、新聞や雑誌が売れないから書いただけだった。

実際は、アメリカとイランの緊張については、大きな変化は起きていない。アメリカは以前からイランを憎んでいるし、イランもアメリカを憎んでいる。その構図は少しも変わっていない。アメリカが実施している対イランの長期的な制裁は、ほとんど効果を上げていない。

歴史的に人々は制裁からうまく逃れる方法を見つけるものだ。制裁好きの政治家たちがいくら拳を振りかざしても、最終的にはブラックマーケットが成長し、人々はたくましく暮らしていく。それが真実なのだ。一つの国のメディアだけから情報を得ていては、わからないことがたくさんあるということだ。

ただ、世界の多くの人々が「第3次世界大戦が起きると思った」こと自体については、変化ととらえるべきかもしれない。米中の対立は、イランとの関係とは違う性質があるからだ。

19世紀はイギリスの世紀、20世紀はアメリカの世紀だった。そして、21世紀で中国以上に発展する国はない。

## 貿易戦争が本当の戦争になる可能性

中国は世界史の中で何度も世界の頂点に立ってきたが、その原動力は資本主義を熟知した国民性にある。今は国の体制が共産主義でも、実際に中国に住んでいる人々は、世界で最も優れた起業家気質を備えている。中国は、数千年にわたって世界の資本主義の中心にあった。共産主義になったのは1949年からだが、そのことの影響は限定的だ。今の中国は、世界で最も資本主義的な国である。

中国の時代になるのは好まない人もいるかもしれないが、それは受け入れざるをえない事実だ。アメリカが築いてきた秩序が変わっていく。人々が抱いているその不安が、問題を加速させている。

時として、大衆はニュースに過剰反応する。感情は、マーケットを動かすエンジンとなりうる。パニックに陥ると、買う必要のないものを慌てて買ったり、売らなくていいものを投げ売りしたりする。

戦争も同じだ。歴史が教えてくれるのは、政治家は自分たちの国の運営がうまくいかなくなると敵を見つけて批判するということだ。

肌の色、言葉、衣服、宗教などなんでもいい。何か自分たちと違っている部分に文句をつける。最後には「食べているものが臭い」などと言って、特定の国を批判する。明らかに間違った行動であるが、政治家たちはそれを利用し、自分たちの失敗から国民の目をそらそうとする。

実際には政治家同士が対立していても、そんなことは関係なしに米中のビジネスマンたちはビールを飲んで交流している。

だが、米中貿易戦争がこのままエスカレートすると、行き着く先は何か。私は、政治家と彼らに煽られた大衆によってやがて武力衝突を含む戦争にまで発展することも否定できないと考えている。

## 対立がエスカレートするメカニズム

私は、米中戦争は起こってほしくないと願っている。しかし、歴史を振り返ると大国同士の戦争は一定の間隔で起きてきた。ある支配的な勢力を持つ国がその勢いを失った時、あるいは衰退し始めた時に、勢いを増す国と衝突が起きる。

最初は社会的、経済的な対立が起きる。やがて、お互いの国をステレオタイプな見方で非難するようになる。それが軍事的な衝突に発展する。

政治家は選挙が近づくと「敵」を作ろうとする。それが当選への近道だからだ。そして人々に「敵」の存在を信じ込ませようとする。やがて人々はこう考えるようになる。「中国人は恐ろしい人々に違いない。だって政治家がみんな恐ろしいと言っているんだから」と。

それはいいことだろうか？　まったくそんなことはない。協力しあう代わりに、衝突を導くだけだからだ。

これから15年もすれば、アメリカの政治家は19歳の青年たちにこう言うようになるだろう。「中国人を殺さなくてはいけない」と。

誰も「２０２０年に激戦の大統領選があったから、候補者が中国の文句を声高に叫んだんだよ」とは言わない。その代わりに、自らを愛国主義者と語り、人々に国を愛することを求め、そして「邪悪で恐ろしい中国」について饒舌に語るはずだ。

これが戦争が起こるまでのメカニズムだ。新しいことは何一つない。これまで世界の歴史で起きてきたことだ。

繰り返しになるが、私は米中戦争は起きてほしくないと願っている。そうであれば、人々の「知恵」を信じるしかない。

## 北京政府は「香港衰退」を放置する

幸いにも中国は国際的な戦争は好まない国だ。国境紛争や内戦はあっても他の国には侵入しない。戦争は誰の得にもならないということを歴史から知っているからだ。

こんなことを言うと、「香港に対する強権的な行動は侵略ではないか」という人もいるだろう。

現在の香港に関する問題も、さかのぼれば1949年に起源がある。中国共産党政権による中華人民共和国が成立したこの年から、共産党政権に反発した人たちが香港に逃れた。

その後、香港は貿易を通じて経済発展した。工場の生産拠点もつくられ、世界有数の金融センターにもなった。しかし、今の香港は、ビジネスをするには人件費や物価などのコストが高くなりすぎて競争力を失っている。一方で、香港に近い深圳《シンセン》(中国広東省)の発展はめざましい。アジアのシリコンバレーと呼ばれるほど、優秀な企業が集まっている。

香港の経済状況はよくない。生産拠点だけではなく、貿易拠点も他の場所に移っている。民主化デモのきっかけになったのは、逃亡犯条例の改正案だったとされているが、家賃が高く人々が生活に苦しんでいて、経済が後退していることが影響している。

香港に拠点を置くビジネスマンは、今後も香港を離れることはないかもしれない。だが、今後、香港に来る人は少なくなるだろう。だから中国にとって、香港は必要ではなくなったのだ。

深圳が発展し、マネーはシンガポールにも集まっている。香港を本当に抑え込もうと思ったら、中国は軍隊を派遣するが、それはしない。北京政府は、軍事力を使わずに、香港を中国化していく。香港はこのまま衰退していけばいいと考えているからだ。

1989年の天安門事件も同じだった。表向きは民主化が目的だったが、当時の中国が抱えていた経済的な問題の影響が大きかった。香港の衰退は今後、加速度的に進む。

北京政府もそのことはよく理解していて対応をしている。

アメリカが20世紀に覇権国になった時も、国内外でいろいろな問題を経験した。10回以上の不況を経験し、街では暴動も起きた。それでも20世紀では最高の国になった。中国も同じような問題を抱えながら、同じ道を歩むだろう。

## 中国でも借金が膨らみつつある

もちろん、中国にも懸念はある。中国は、２００８年のリーマンショック後に世界経済を救うために債務を増やした。その額は現在でも増え続けている。中国経済に対する影響という意味では、巨額の負債はマイナス要因であることは間違いない。中国も今では借金を抱える国になった。これが中国が不況になる原因になるかもしれない。

ただ、不況が起きたとしても中国政府がそれを認めるかは別だ。政府はウソをつく。メディアもそのウソを広げる役割をする。日本やアメリカの政府と同じように、中国政府もウソをつく。

中国政府が隠しきれないような経済ショックが起きたらどうなるか。連鎖的な倒産が起きる。その影響は世界に及び、「まもなく大不況がやってくる」と言っているこの私ですら、きっと驚くような危機が訪れるだろう。中国の共産党政権の崩壊にまでつながるとは思わないが、米中の対立も激しさを増す。1930年代の世界不況が、最終的に第2次世界大戦に発展したようにだ。

## 4　変わる金融変わらない通貨　FAANGの繁栄は続く

世界の誰かが同じサービスや製品をより安く、高い品質で提供できるようにしたら、既存のビジネスは破壊的な影響を受ける。それを実現する人間が最も賢い。私は、そういう仕事をする人にいつも会いたいと思っている。

今後、大きな変化が起きるのは、手数料収入によるビジネスだ。

たとえば、金融業界は高い手数料を取ってきた。あなたがアドバイザーに資金を預けて投資した時、あなたよりアドバイザーのほうが稼いでいることがよくある。

もちろん、仕事なのだから、手数料を得ることは悪いことではない。彼らが稼げば、あなたも利益を得ることができるからだ。問題は、それが不当に高い価格ではないかということだ。

金融業界には特殊な事情もある。

1958年に世界で5千人ほどしかいなかったMBA（経営学修士）ホルダーは、今ではアメリカだけで年間10万人を超える。金融業界に入ってからの生き残り競争は、かつてないほど激しい。

今の若者は、MBAを取得するよりも、トラクターの免許を取って農業を学んだほうがいい。これは冗談ではない。

農業は、新型コロナウイルスの影響を受けたが、すでに底を打った。これから回復に向かい、間違いなく魅力的な産業になる。

## ブロックチェーンという魔法の技術

一方、金融業界では、これから破壊的な変化が待ち受けている。

金融とITを融合させた「フィンテック」が発展している。電子決済、仮想通貨、AI（人工知能）を使った投資や資産運用など、人間が手間と時間をかけてこなしていた仕事が自動でできるようになる。

仮想通貨の管理で使用されている「ブロックチェーン（分散型台帳）」は、21世紀で最もエキサイティングな技術だ。

これまでの金融取引は、金融機関という仲介者が存在することで信用を担保してきた。そうした取引で彼らは手数料を得ていた。

ブロックチェーンでは、改変できないように取引を暗号化して世界で共有することで、信用を担保する。まるで魔法のような技術だ。

ブロックチェーンは多くの人をビジネスの舞台から追い出すだろう。銀行や証券会社だけではない。これまでの手数料ビジネスの多くが変革を迫られる。

もちろん、これは世界にとって素晴らしいことだ。

人々の生活を便利にして、より豊かにする。ブロックチェーンの普及で事業をたたんだり、仕事を失ったりする人もいるだろう。これまでの世界をまったく作り替えてしまう技術とは、そういった負の結果も生む。

過去にはトヨタが自動車産業で破壊的な変化を起こした。アメリカのゼネラル・モーターズ（GM）は数十年後に経営破綻した。ソニーのテレビも同じだ。多くのテレビ製造メーカーがソニーの登場で撤退した。

良い製品が安く提供されればビジネスの大転換が起きる。これは歴史の中で頻繁に起きてきた。経済とはそういうものだ。

では、私自身がブロックチェーン関連のビジネスに投資しているかというと、現時点では投資手法は確立できていない。つねに投資先を探しているが、ブロックチェーンは革命的な技術であるだけに世界を大きく変えてしまうからだ。

## 仮想通貨は、政府の「逆襲」で価値がゼロになる

一方、私は、ビットコインに代表される仮想通貨（暗号資産）は、いずれ衰退し、すべてがゼロになるだろうと考えている。

世界経済が危機的な状況のなかで、仮想通貨市場は乱高下している。

それでなくても仮想通貨は数年前には存在すらしていなかったのに、あっという間に100倍、1千倍の価値を持つようになった。これは明らかなバブルで、適正な価格がわからない。仮想通貨は投資の対象ではない。ただのギャンブルである。

**ビットコインの価格推移**（2016年1月〜2020年3月、週次）

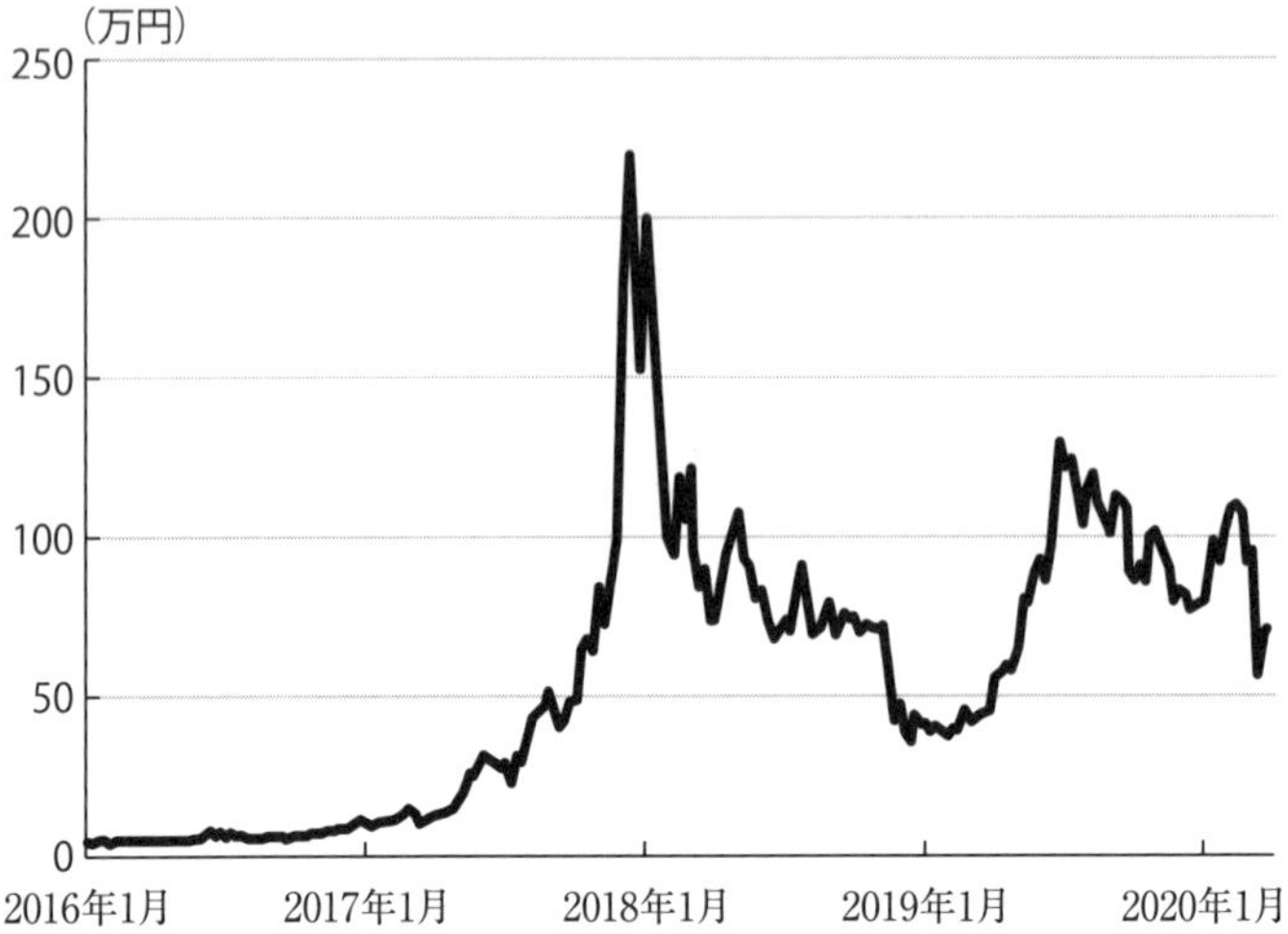


＊DMM Bitcoinのホームページを元に作成

ただし、近い将来に人間が扱うマネーは、コンピューターの中にだけ存在するようになることは確実だ。

中国では、すでにマネーはコンピューターの中にしか存在せず、現金はほとんど使えない。人民元を握っていても、タクシーにすら乗ることができない。すべてはスマートフォンの中に入っている電子マネーで決済している。そういった商習慣がすでに現実になっている。そして、今後も世界に拡大していくだろう。

しかし、あなたのスマートフォ

ンの中にある電子マネーは、政府が管理するマネーであることを忘れてはならない。政府は電子マネーが好きだ。なぜなら電子マネーであれば、いつ、どこで、誰が、どの程度のお金を使ったかについて追跡できるからだ。政府は電子マネーを通じて人々をよりコントロールしやすくなる。

ある日、あなたが紅茶を飲みすぎたとしよう。するとあなたに、「もっと紅茶を飲む量を減らしなさい」と言ってくる世の中になるかもしれない。

また、電子マネーは発行コストが安い。現金は印刷して運んで数えなければならない。それは政府にとってコストが高くつく。だから、現金を使うのをやめようとしている。

こうしたことから、政府の管理が及ばない仮想通貨がマネーとして認められることはないだろう。

## 歴史が教える政府の思惑

仮想通貨を手がけている人たちは自分たちは「政府より賢い」と考えているようだ。実際、その人たちが言う通りだと私も思う。

しかし、仮想通貨を手がけている人たちが持っていないものを政府は持っている。それは銃だ。仮想通貨がいずれなくなると私が考えているのは、政府という権力が持つ「武力」という裏付けを、仮想通貨を展開する側が持っていないからだ。

これは、マネーの歴史をひもとけばわかることだ。

わずか100年前までは、私たちは自分たちの好きなものをマネーとして使うことができた。コインでも金でも銀でも、貝殻でもよかった。銀行は自ら紙幣を刷ることもできた。それが合法だったのだ。

ところが1930年代半ばの英国で、イングランド銀行が「これからは我々のマネー以外をマネーとして使ったら、それは反逆行為だ」と言いだした。反逆行為とは「死刑にする」という意味だ。

だから、誰もイングランド銀行が発行するマネー以外を使うことをやめてしまった。

これが、これから起こることだ。

もし仮想通貨が現在のようなギャンブルの対象ではなく、本物のマネーとして成功するようになったら、政府は仮想通貨を違法な存在にして排除するようになるだろう。政府のコントロールが利かないところで、私たちが勝手にマネーを動かすことを政府が許すはずがないからだ。

政府はすべてを知りたがる。コントロールの利く電子マネーは生き残らせ、政府の影響力が及ばない仮想通貨は消していく。

私は、政府が私たちの行動について必要以上に知っている社会になることは、好ましくないと考えている。だが政府の管理が及ばない仮想通貨が、マネーとして広く流通することはないと予測する。

## 何でもオンラインで買える

世界を席巻しているIT企業群、FAANG（フェイスブック、アマゾン、アップル、ネットフリックス、グーグル）は、しばらくは成長が続くだろう。

コロナをきっかけにより多くの人が、アマゾンに代表されるようなオンラインショッピングに慣れ親しむことになった。

その理由は極めて単純で、コロナで外出できなくなった人々が必要に迫られてオンラインショッピングのやり方を学び、その利便性を理解するようになったからだ。

Tシャツが欲しい、保険に入りたい……今は何でもネットで買うことができる。しかも、商品は手元まで届けてくれる。

あるいはネットフリックスのようなオンライン・エンターテインメントもそうだ。私の子供たちも、いつもオンライン・エンターテインメントを楽しんでいる。

しかし、FAANGもいつまでも成長し続けるとは言い切れない。歴史を振り返れば、永遠にトップで居続けることのできる企業はないからだ。

アメリカの代表的な株価指数であるダウ平均株価は1896年にスタートした。そして、その初期の構成銘柄であるアメリカのトップ企業のうち、2020年現在でもダウ平均株価の30銘柄に入っている企業は存在しない。

どれほど影響力があり立地に恵まれても、世界は変わっていき企業は消えていく。アマゾンもグーグルも素晴らしい会社だ。だが、50年後にどうなっているかはわからない。すでに存在そのものが消えているかもしれない。確実に言えることは、時代が変われば企業が展開する事業の役割も変わるということだ。

## 5　危機の時こそ投資せよ　安く買って高く売るのだ

新型コロナウイルス感染の終息は依然として見えてこない。経済に関してはしばらく試練が続くのは間違いない。

多くの国やそこに住む人々が一時はパニックに陥った。各都市が「ロックダウン」でゴーストタウンになった時は誰もレストランに行かなかったし、飛行機の座席もホテルの部屋も文字通り空っぽだった。

みんなが家でテレビや新聞、インターネットでニュースばかり見ていた。そして、それがパニックを加速させていった。

3月にドーンと下がった株価は持ち直しているが、第2波の到来などでいつまた下がってもおかしくない。だが、私はこのような危機の時こそ投資家は株を買うべき好機だと考えている。

株式市場は常に数カ月先を見なければならない。来週、来月といった近い将来を見てはいけない。それでは数カ月先には、いったい何が起きているか。その時を見据えて行動しなければならない。

日本や中国、韓国には「危機」という言葉があるが、英語には完全に一致する言葉はない。この言葉にはアジアの人々の知恵を感じる。「危機」は「危険」であるとともに「機会」でもありうる。「危機」と「好機」は紙一重なのだ。

では、どんな株を買うべきなのか。それは、新型コロナの影響で価格が落ち込んでしまった株だ。

日本の株も買っていいものがある。ただし、投資期間は長期ではなく中期である。第4章で詳しく述べるが、日本は、長期的に見れば衰退が避けられないからだ。

私は、2019年に多くの日本株を売った。しかし、コロナ流行後に船舶関連の株を買った。新型コロナで最も影響を受けたのが人の移動に関する産業の株だったからだ。最も大きな打撃を受けたアジアの航空会社にも注目している。

現状を見てみればいい。どの政府も中央銀行にお札をどんどん刷らせている。日本政府は、日本銀行を通じて株まで買っている。

政治家たちは何かをしなければならないと考え、経済を支えようとしている。これは決して良いことではない。人工的に景気を引き上げても、その対価はいつか払わなければならない。だから長期的には悪い結果になる。

それでも、今の状況でそんなことを気にする人は、どこにいるだろうか。短期的に幸せであれば、みんなそれでいいと考えているのだろう。

## 人が目を向けない割安銘柄を探す

戦争でも自然災害でも大きなショックが起きた時、人は変わる。このウイルスはそうした変化を生み出すことになる。

ただ、これは初めての出来事ではない。次の章の投資法のところで詳しく述べるが、街でパニックが起きている時は、私はいつ株を買うかを考える。

逆に、人々が興奮し、喜びのあまり大胆になっている時は売る。私が過去の経験から学んだ教訓だ。

私もビジネスを始めたころは多くの人と同じ過ちを犯した。

もう40〜50年前だろうか。ある商品が明らかにダンピング（不当廉売）されていた。しかし、私は怖じ気づいて手が出せなかった。数年後、その商品は値上がりした。私はたくさんのお金を失った。あの時は、つくづく「価格が低い時に買っておけばよかった」と思ったものだ。

あるいは周りの人が失敗している時に、5カ月で資産を3倍にしたことがある。それで私は、自分が優秀な人間だと思い込んでしまった。それが間違いの始まりだった。その5カ月後、私は全財産を失ってしまった。

こうした経験から、投資家としての私の基本的な戦略は「安く買って、高く売る」で一貫している。

なんだ、そんなことは当たり前のことではないかと思われるかもしれないが、ほとんどの投資家は「安く買う」ことができていない。強気を意味する「ブル相場」ばかりに目を向け、弱気の「ベア相場」は気にかけない。

私はまったく逆だ。

「どこが底値か」という目で常に投資対象を見ている。人々が目を向けない割安なものを常に探している。

そうやって見ていると、誰も買わないし街のカフェやバーで誰も話題にしないが、将来値上がりしそうな有望銘柄が時々見つかる。それこそチャンスだ。

このような銘柄を探すのが「今」かもしれない。本書で私の考え方を学び、ぜひチャレンジしてほしい。

繰り返して言う。投資の基本戦略は「安く買って、高く売る」だ。

# 第2章

# ジム流投資のやり方

## 1　投資の原則その1　他人の言うことを真に受けない

投資の原則といっても、別に難しいことを述べるつもりはさらさらない。言われてみたら、当たり前で実に真っ当なことばかりだ。

でも、人間という動物はとても不思議だ。そんな当たり前のことが、いざ自分の人生となると実践できなくなる。

とりわけ、そんな現象がよく見られるのが投資の世界だ。きっと、お金が絡んでいるからだろう。

まず私がいいたいのは、「他人の言うことを真に受けてはいけない」ということだ。

私は、これまで誰かが勧めてきたことを実践するたびに必ず損をしてきた。

別に他人と話すことから人は学べないと言っているのではない。耳を傾けることは大切なことだが、ただその言葉を漫然と信じ、そのまま受け入れることは慎んだほうがいいと思っている。

仮に、テレビや新聞、インターネットなどで著名人が言ったことをまねて投資をしたとしよう。おそらくあなたは、たくさんのお金を失うことになる。決して誰の言うことも聞いてはならない。

誰しも、1週間でお金持ちになりたいと思う。誰しも、簡単に儲けることのできる〝とっておきの情報〟、英語ではホット・ティップ（hot tip）と言っているが、それを欲しがる。しかし、それは投資の手法としては正しくない。

## 原油や株取引で経験したこと

古い話をしよう。

1970年代、私は積極的に原油に投資していた。当時の原油は1バレルたったの3ドル程度で、誰も見向きもしていなかった。誰もが「原油に投資するなんてバカだ」と言っていた時代に投資していたのだ。

原油に投資する理由をたずねてきた人もいた。そのとき、私は原油が可能性のある投資先であることについて、自ら調べ学んだことを伝えた。

実は当時は、原油の需要に対して供給がまったく追いついていなかった。誰もが知っている需要と供給の原則を思い出してほしい。「需要が増えれば価格は上昇し、供給が増えれば価格は下落する」という簡単な法則だ。私にいわせれば原油の価格が上がるのは必然だったのだ。

それでも彼らは理解を示さなかった。私に原油投資をやめるよう、忠告してきた人もいたほどだ。

彼らは、私が伝えたことを自ら調べなかった。結果がどうなったかは言うまでもないだろう。原油は高騰した。

同じく1970年代にロッキード社の株で儲けたときも、同様のことがあった。

当時はベトナム戦争の終結で防衛費が削減され、防衛産業の株価は1ドルや2ドルで取引されるほど著しく落ち込んでいた。

しかし、私は「これからの軍事は電子戦の時代になり、ロッキード社が重要な役割を果たす」と読んでいた。

そんな折、私は投資家が集まるある夕食会に出席した。数多くの名の知れた投資家が集まり、投資のアイデアについて議論していた。

私はその中で最年少で、かつ最も経験の浅い投資家だったが、「ロッキード株を買うべきだ」と発言した。

すると、テーブルの反対側にいた賢い投資家として当時、有名だった男性が皆に聞こえるように「誰がそんな株を買うものか」と話した。

とても恥ずかしい思いをしたが、その後、ロッキード株が100倍になると彼は何も言わなくなった。

## 自分で調べて自分で考える

大切なのは、他人の言うことを真に受けるのではなく、自分自身の経験と投資などから学び続けることなのだ。

自分で事実を調べて判断する姿勢が身についていなければ、たとえまぐれで成功することはあっても、決して長続きしないだろう。

もし、私がある企業の株を「10」の価格で買うように助言して、あなたが私の言うままにその株を買ったとしよう。それが「20」に値上がりしたとしたら、あなたは自分がどれだけ賢いかを自慢して回るだろう。

「俺が買った株が倍になったんだ」と言いながらも、その時は助言したジム・ロジャーズの名前は決して出さない。

でも、しばらくしたら、あなたはその株をどうしたらいいか見当がつかなくなるはずだ。「10」で買う時の選択が正しかったとしても、自分で導き出して選択したわけではないので、「この先もっと買うべきか、それともここで売るべきなのか」という次の一手がわからなくなるのだ。

そのうち誤った判断をして儲けを失うことになる。自分自身で調べて考えた結論ではないから、こうなるのは当然のことだろう。

逆に、もし、私が言う通りに「10」で買ったものが、「5」に半減したとしたら、どうだろう。その時は損をしたと感じるので、「ジム・ロジャーズほど愚かな人はいない」と文句を言うだろう。

でも文句を言っても、この場合も、ではその株をどうすればいいかがわからなくなる。その株について自分で考えていないからだ。

おわかりだろうか。「ジム・ロジャーズが言っている」というだけで、成功することなどあり得ないのだ。

従って、他人の言うことを聞くのではなく、自分で考えなくてはならない。これは投資に限ったことではない。人生全般について言えることだ。

## 2　投資の原則その2　自分の知っているものにだけ投資する

他人の言うことを真に受けて投資をしてはいけないことは、よくわかっただろう。では、自分で考えて何に投資すればいいのか。

これに対する答えも、しごく真っ当なことだ。自分が詳しく知っていることだけに投資して、知らないものには決して手を出さないことだ。

たとえば私は今、ロシアの海運業界に投資している。でも、もし、あなたがロシアの地名も、どこにあるのか場所もわからないようなら、あなたはロシアに投資してはいけない。

私は中国にあるワイナリーも買っているが、あなたが中国にワイナリーがあることすら知らないのなら、そこに投資しようと思ってはならない。

最近では私は、日本株のＥＴＦ（上場投資信託）を買っている。これも同様にあなたは日本がどこにあるかは知っているだろうが、ＥＴＦの本質についてよく知らないのなら、あなたは買うべきではない。

## 誰にでも詳しい分野はある

こういうことを聞くと、あなたは私にこう尋ねるかもしれない。

「これは難しい。私のような普通の一般人は、詳しいことや、よく知っていることなどない。そういう場合は、どうすればいいのか」

私は、そんなに難しいことを言っているのではない。あなたも誰でも、何かについて深く知っている分野があるからだ。

あなたは何の雑誌をよく読むことがあるだろうか。あるいは新聞を見ていて、記事が出ていれば必ず読むような分野があるだろうか。

ファッション？　車？　どの分野でもいいのだが、車やファッションについての雑誌を読んでいるのなら、その分野については他の人よりよく知っているはずだ。人間は自分が好きなことについては、知らないようでよく知っているものだ。長くウォッチしていれば流れがわかってくるし、業界の内情などにも通じるようになる。

そのような、自分がよく知っている分野で投資を行うのだ。

どうやって投資に乗り出していくかは、例えばこんなふうに考えればよい。

あなたがよく知っている分野で、新しい動きなど「何か」が起きているのを見たり感じたりした時こそ行動を始める時だ。自分が感じたことを友達に教えたりしないで、投資家の考え方をするのだ。

「これはうまくいくに違いない」と思ったら、投資家の「帽子」、投資家としての考え方のことだが、それをかぶって調査すればよい。

本当にうまくいくかどうかを自分で調べるのだ。その「何か」によって誰が利益を得るのか、どの企業が儲けるのか、そして激しい競争があるのか、などだ。

その調査をしたあとで、それでもあなたが狙いをつけた株が安くて、その会社に優秀な人たちがたくさんいて、負債が少なくて、業界内の競争も激しくないことがわかったら、その投資はうまくいくだろう。

## 時間をかけて企業を分析する

もし、人生で合計20回しか投資ができないのなら、誰もが、もっと慎重になるだろう。インターネットの情報を見るだけで済ますのではなく、友達の話だけを信じずに、自分がよく知っているものだけを買うだろう。

でも、多くの人はインターネットやテレビや新聞の情報を見て、「私にも今できるはずだ」と思い込んでしまう。

実はマーケットで金を儲けるのはそんなに簡単ではない。ほとんどの人が儲けられないのは、努力不足のまま簡単に早く見つかる答えを求めるからだ。

まず複数の情報源を持つことが大切だ。これまでの人生で学んできたことだが、異なるタイプの情報源のいうことを聞かなければいけない。

いろいろな情報源を探し、いろいろな見方を知ることで、本当は何が起きているのかを知ることができる。私はアメリカのウォールストリート・ジャーナルやイギリスのフィナンシャル・タイムズを中心に、いろいろな国の新聞を読んでいる。

例えば5カ国の新聞を読めば、五つの見方を知ることができる。どの新聞も自分たちが正しいと思っているので、いろいろな見方をするが、読んでいけば、どれもがある程度は共通して言っていることがある。

おそらく、そこが正しいことだ。それでも間違いがあるかもしれないが、長年かけて経験を積んでいけばそのうちわかってくる。

英語が話せれば、テレビ情報も活用できる。ロシアならRTを見ればいいし、中国ならCGTN、日本のNHK、中東のアルジャジーラなどを見ればいい。BBCはイギリスのプロパガンダ放送で、CNNはアメリカのプロパガンダだ。

こうした情報を見れば状況は見えてくる。メディアも嘘をつくので鵜呑みにしてはいけないが、状況がわかればそれを投資に生かす方法を考えればよい。

情報の次は分析だ。

良い投資家になりたいのなら、貸借対照表（バランスシート）を読むことができるように勉強する必要がある。投資を考えている会社が健全かどうかがわかるからだ。バランスシートは損益計算書よりはるかに重要だ。

私はいつもバランスシートを読むことから企業分析を始めるが、誰も難しい数字を理解したがらない。企業分析は骨の折れる作業だからだ。

企業分析では、とりわけ借金の状況を理解する必要がある。情報はすべてバランスシートにある。前年に借金がなかったのに、今年になって借金が増えていたら、何がその企業に起きているのかを調べる必要がある。

逆に多くの借金を抱えていたのに、今年はそれがなくなっていれば、その会社がどのように変化したのかを見なければならない。

アニュアルリポートには財務諸表の「注記」があるが、この注記にこそ気を付けるべきだ。多くの人は気に留めないが、そこに書かれている情報には、投資に役立つヒントがいっぱい詰まっている。

これらは骨の折れる仕事で、普通の人はやりたがらない。ここに書かれている内容は退屈で複雑だが、この注記とバランスシートの内容を理解できれば、会社の実像がはっきりと見えてくる。

もちろん、こんな作業をするよりも、アメリカンフットボールや野球の試合を見たいと思う人が多くいるのが自然だろう。しかし、投資に取り組み成功しようとすれば、欠かせない作業になる。やはり努力は必要なのだ。

## お金を守るためにやるべきこと

変化の大きい時代でも、私たちはお金を守らなければならない。では、そのために何をしなければならないのか。

最も大切なのは、お金を失わないことだ。2番目のルールは、お金を失わないことだ。3番目もお金を失わないことだ。4番目に、どうやってお金を作るかを考える。お金を作る前に、失わないことを考えなければならない。

そして、注意深くなることだ。それは歴史から学ぶしかない。

## 3　投資の原則その3　世の中は15年で大きく変わる

今、世界では多くの変化が起きている。しかも、危機が進行しているなかで、そのスピードは加速している。

リモートワークの急速な普及など、コロナ禍はその変化をさらに加速させるといわれている。

たとえば、インターネット通話の「Ｓｋｙｐｅ」やオンライン会議システム「Ｚｏｏｍ」といったサービスは、感染が拡大する前から存在していた。それが、今では多くの人に知られるようになった。私も取材を受けるときは、対面取材よりもインターネットを使うようになった。

オンライン教育の取り組みも広がった。これも以前から存在していたものだが、小学生の子供たちまで使うようになった。

急激な変化に対し、どの国が対応できているか。

もともと苦境にあった欧州の国々は、新型コロナによってさらなる苦境に沈んだ。一方、経済力の上昇が続いていたベトナムは、公式発表による限りはコロナ危機にうまく対応できているように見える。少なくとも、欧米の国々に比べれば悪影響は少ない。だから私は今、ベトナムに投資している。

## 歴史に基づく変化のルール

１９００年に世界で最も影響力を持っていた国々が、２０２０年の時点でも同じであるとは限らない。いや、現実には世界の覇権はこの間、イギリスからアメリカに移動した。そして今、新たな覇権の変化が始まりつつある。世界は常に変化しているからだ。

投資で金持ちになることは、簡単なことだと考えている人もいるかもしれない。私も、そうであればよかったと思うが、現実はそうではない。だからこそ、変化のサインを見逃してはならない。

私が投資の世界に入ったとき、「バブル」というものを知らなかった。他の人と同じようにバブルの中にいて、それが普通のことだと考えていた。

そしてバブルがはじけたとき、私は全財産を失った。バブルは、普通の出来事ではなかったのだ。

それから私は、バブルについて学ぶようになった。時間をかけてリサーチして、日々の宿題をこなす。

歴史書を読めば、つねに新しく繁栄してくる国々があり、衰退していく国々があることがわかるはずだ。

歴史を学んでいるうちに、私はとても重要なことに気づいた。今正しいと信じられている常識の多くは、15年後に間違っている可能性が高いということだ。

もちろん、きっちり15年とは限らない。時には10年だったり、25年だったりする場合がある。しかし、歴史を検証していくと、おおむね10~15年ごとに大きな変化が訪れているのだ。

1900年に人々が考えていたことは、1915年には変わっていた。1920年に人々が思い描いていたことは、1935年にはその通りにならなかった。

## 2035年には別の人生が待っている

これは、投資家にとってはもちろん、現代を生きていく誰にとっても強力なメッセージだ。

例えば、1991年にソビエト連邦は消滅したが、その10年前、15年前には「冷戦」が声高に叫ばれることはあっても、ソ連消滅を想像した人はいなかった。1989年のベルリンの壁崩壊から、わずか2年のことだった。

ソ連消滅を目撃して、多くの人は共産主義がこの世から消え去ってしまうと考えた。ところが、それから15年どころか30年近くたつのに、いくつかの共産主義諸国はちゃんと生き残っている。

だから、2020年の今、常識と考えられていることは、2035年にはすべて違ったことになる可能性がある。

これは絶望にかられて落ち込んでいる人に勇気を与えるだろう。自殺を考えている人たちに私はこう伝えたい。

今はどん底にいるかもしれないが、15年経てば世界はまったく違ったものになっている、と。だから、自殺してはいけない。歴史を見てごらん。15年後には、まったく違う人生が待っている、と。

日本の戦後を振り返ってみても、この法則があてはまる。

1965年に証券市場が崩壊したときに絶望した人は大勢いたが、日本はその後、短い期間で復活を遂げた。1980年には、アメリカに次ぐ経済大国になっていた。しかし、10年後にはバブルが崩壊して、今に至る30年、長期低迷が続いている。

歴史を学ぶことは重要だ。繰り返すが、15年経って物事に大きな違いがなかった時代は、歴史上ほとんど存在していない。

## 4　パニックは常に「買い」　大損から学んだ教訓

この3月、コロナショックで世界中の株価が急落した。ニューヨークダウが1日で1千ドル単位で下がるなど、世界中が恐怖につつまれた。

人間の感情はマーケットを動かすエンジンとなり得る。時として一般投資家たちはニュースに過剰反応する。買う必要のないものを慌てて買うことがあれば、売る必要のないものを投げ売りしたりする。

そういう慌てた買いや売りがマーケット全体の動きに拍車をかけて、人々はますますパニックに陥っていく。しかし、実はこうした時こそ投資のチャンスを見つけることができることを知るべきだ。

コロナで株価が暴落するのを見て、私は自分がかつて学んだ教訓とまったく同じだと思った。

パニックが起きた時は、株を買う準備をするべきだ。街でパニックが起きている時は、いつも買うかどうかを考えないといけない。

一方、みんなが高揚して感情の高まりが起きている時は売るべきだ。みんなが喜んで大胆になっている時は「売り」なのだ。

パニックでは買い、高揚している時は売り。これは人間がずっと昔から学んできた貴重な教訓だ。

私が最初にこの教訓を学んだのは、ビジネスを始めたころだ。その時、私はみんなと同じように間違いを犯した。状況が悪いので売ってしまったのだ。今なら「危機」は好機でもあることを知っているが、その頃は知らなかった。

## 願望や欲望で物事を判断してはならない

これまでたくさんの間違いを犯して、私は十分すぎるほど金を失った。

人は群集心理にかられやすい生き物だ。時にはプロフェッショナルを名乗る人でさえ、群集心理にかられてしまうことがある。

実は私にもその経験がある。あなたの参考になるかもしれないので、一つだけ例をあげておこう。

再び原油市場での話だ。オイルショックが起きた後の1980年に、私は原油の供給が需要を上回ったことを確認したので、「もう少しすれば、原油価格は下がるだろう」と踏んで、原油を空売りした。

ところが、中東で戦争が起きたことで一気に原油価格が跳ね上がった。私は原油が上がりきる前に売ってしまったのだ。

価格が跳ね上がったのを見た私は、慌てて値上がりした原油を買い戻した。ところが今度は、しばらくして原油価格がどんどん値を下げ始めた。結局、私は、この取引で大損してしまった。

原油価格の趨勢は私の読み通り下がり始めていたのだから、空売りのポジションを持ち続けるべきだったのだ。

事実を調べずに、願望や欲望だけで物事を判断しようとすると、パニックを起こしている一般投資家の考えや心理に流されてしまう。

パニックにのみ込まれることなく冷静な判断をするのは簡単なことではないが、知識と経験があれば対応できるようにも思う。

こうした失敗経験をしたら、それからよく学び、失敗は1回か2回にとどめておくのがよい。失敗は繰り返さないことが何よりだ。

## 5 「何もしない」ことの大切さ　当局の動きから先を読む

投資では、状況に応じてさまざまな判断を迫られる。金融危機の局面でも、「大丈夫、まだ買える」と考えることができる場合もある。

しかし、ここでは「投資の原則その2」を思い出すことが大切だ。こういう時でも自分が知っているものにしか投資してはいけない。もしそれについて何も知らないのであれば、何もしないことが一番いい。

成功した投資家の多くは、実は何もしない時間がとても長い。座って待って、何かを見つけたら、10年でも20年でも成長を待つ。だから成功した投資家の多くはたいてい何もしていないのだ。

最も気を付けなければならないのは、買ったものが「10」から「100」になったような時だ。

売って儲けを出した後も、「もっと何かしなければいけない」と思ってしまう人がいるが、それをやってはダメだ。こういう時は何もしてはいけない。

「ビーチでリラックスする」「窓を閉めて何もしない」「落ち着いて忍耐強くなる」……。とにかく何でもいいので、投資に目を向けるのではなく、他に何かを見つけるまでは何もしてはいけないのだ。

投資家にとってとても大事なことなのだが、それを守れる人は少ない。

ドイツ人であっても、ロシア人であっても、日本人であっても、たいていは、「いつもゲームに参加していないといけない」と思ってしまう。投資家の悲しい習性だ。

## インデックス投資は正しい

前にも述べたが、投資において一番大事なことはお金を失わないことである。資本を守るには、お金を作り出すことが極めて重要だが、まずは「お金を失わない」というルールを守らなければならない。

私は安くて、落ち込んでいるものを買うのが好きだ。こうすれば、もし間違った選択をしたとしても、多くを失うリスクはないからだ。そして、誰も知らなかったり、注意を払っていなかったりするものを買う。

チャンスは、人々が見過ごしているところに生じる。「何か面白いことが起きているか？」と聞いて回り、それを探し出せれば、必ず儲けが生みだされるものなのだ。

ホット・ティップ（とっておきの情報）を欲しがり、今、金持ちになりたいと欲し、他人が言うことを何でも信じてしまう。そういう投資家は、自分の知らない分野にお金を投じるという愚かな行いを犯してしまう。

数多くの研究が示しているとおり、市場平均に投資するインデックス投資は、ほとんどの投資家の成績を上回るリターンを得ることができる。株だけでなく、債券や商品、通貨に関しても同じことがいえる。

だから投資家は、株式インデックスなどのインデックス投資をしたほうがいい。

前述したが、私は最近、日本のＥＴＦを買っている。私がインデックス投資をするのは、リターンの話もあるが、もう一つ、私は怠け者だからでもある。

平均に投資するので、インデックス投資は基本的に自分で考えることがない。インデックス投資は楽なのだ。

しかし、本当の理由は別にある。

それは、日本銀行の黒田東彦総裁が新型コロナによる経済危機を受けてお金を大量に刷り、それで債券を買っているからだ。日銀はETFにも投資している。そして日銀は、私よりはるかに莫大なお金を稼いでいる。

黒田総裁がETFを買おうとするとき、私も買う。つまりは日銀がやっていることを私はまねしているだけなのだ。

## 政府のお金がどこへ行くかを考える

これは、日本にとっていい話ではない。借金が積み上がるだけだからだ。では、黒田総裁の行動で誰が得をするのか。それは日本株に投資する人なのである。

このように投資のチャンスを見つけるのに、当局の動きを観察して先を読むことは実はとても大切なことだ。

考えてみてほしい。

政府がある問題を解決することを決めて、多額のお金をこれから投じるとしよう。それは結果的に、誰かが多くのお金を稼ぐことを意味する。政府が正しいか間違っているかはまったく関係がない。政府がたくさんのお金を使うので、関連する事業に携わる企業が利益を手にするにすぎない。

例えば、政府が「大規模な植樹をする」と言ったとしよう。政府にはたくさんの予算があるから、そのお金は木を持っている会社に落ちる。だったら、「木を持っている会社に資金を提供しよう」や「植樹作業を行う会社の株を買おう」などとなるわけだ。

私は、政府が「このような問題があるので、解決したい」という動きにいつも注目している。

その情報をもとに、誰がお金を手に入れるかを考えるのだ。そして、利益を得られそうな会社に投資して、儲けの一部を手に入れようとする。

## 6 「買い」か「売り」か　原油・金で考えるマーケットの見方

ニューヨーク原油先物（ＷＴＩ）が、コロナショックの影響で4月に史上初のマイナス価格をつけた。しかし、それ以来、価格は上昇傾向にある。

コロナ禍での不安は原油の需要量が少なくなっていることにある。需要の低下に合わせて今後、供給量は少しずつ減っていくだろう。すると需要に見合った供給体制になるまで、再び原油価格が急落することはありえる。

ただ急落したとしても、いつかは底を打つ。その後はもみ合いになり上がったり下がったりする。それを数年繰り返すことになるはずだ。

アメリカは、シェールオイルで一大産油国となった。それは世界の原油価格を不安定にした。だが、アメリカのシェールオイルバブルはいずれ崩壊していく。バブルが崩壊することで、原油生産が需給バランスの取れた状態になっていく。そして、その時から原油価格は再び上がっていく。

新型コロナウイルスの影響で人々が移動しなくなったから、原油の需要は増えず価格も下がると考える人もいるだろう。たしかに、私も航空機の需要が2019年の水準までに回復することはないと考えている。

それでも今の状況に比べればどうか。

私はシンガポールに住んでいる。空港は、いずれ世界に向けて再開される。シンガポールから欧州に行くのに、船に乗る人はいない。アメリカに行く時も同じだ。もう一度、誰もが飛行機を使うことになるはずだ。

## これ以上、価格が下がらないものを買う

気をつけるべきこともある。何かの価格が下がったからといって、「それは買いだ」とはならないことだ。

私が買っているものは何か。それは、たとえ世界経済が回復しなくても、これ以上は価格が下がらないものだ。そういったものの多くは新型コロナの影響ではなく、それ以外の要因で価格が下落している。

私は新型コロナが広がる前にロシアの海運会社を買った。新型コロナの影響でさらに価格は下がったが、下げ幅が少し大きくなっただけだった。安くなっているものを買うことが大切なのだ。

そのほかでは運輸業、旅行業、農業に注目している。以前から農業には注目していたが、コロナショックのおかげで、さらに状況がよく見えるようになった。

私は新型コロナ危機がやってくる前から、次の不況はこれまでに経験したことのない経済危機を招くと述べてきた。私たちは今、その危機のさなかにいる。だからこそ、これ以上、価格が下がらないものを買うことが重要なのだ。

本当の経済危機は、小さくゆっくりと始まる。誰にも知られていなかったことが、気がつくと新聞やテレビの話題になっている。そして、やがて大きな出来事が起きる。人々はパニックだ。ニュースは経済危機の話で埋め尽くされる。

２００７年、サブプライム（信用力の低い個人向け）ローンが問題になった時、多くの人はまだ気にしていなかった。その後、イギリスの銀行、ノーザン・ロックが取り付け騒ぎを起こした。そこでようやく、人々は危機的状況に気づきはじめた。08年にアメリカの証券会社、ベアー・スターンズが破綻した。リーマン・ブラザーズも続いた。経済危機はこのようにしてやってくる。

今、世界で最も気がかりなのは中国経済だろう。

## 中国経済が沈むと起きること

中国はこれまで、四半世紀にわたって経済成長を続けてきた。その中国で経済ショックが起きると、世界中で倒産が起きる。激しい失望が、世界を覆うだろう。私ですら、驚くような結果になるに違いない。

こんな時、投資家は何をするのか。それは人々の取る行動を考えればいい。多くの人は金（ゴールド）を買うだろう。政府や貨幣が信頼できなくなれば、金という実物資産を求めるからだ。

金相場はリーマンショック後も値上がりした。2011年9月にピークに達し、やが

**ゴールドの価格推移**（1980〜2019年、年平均価格）

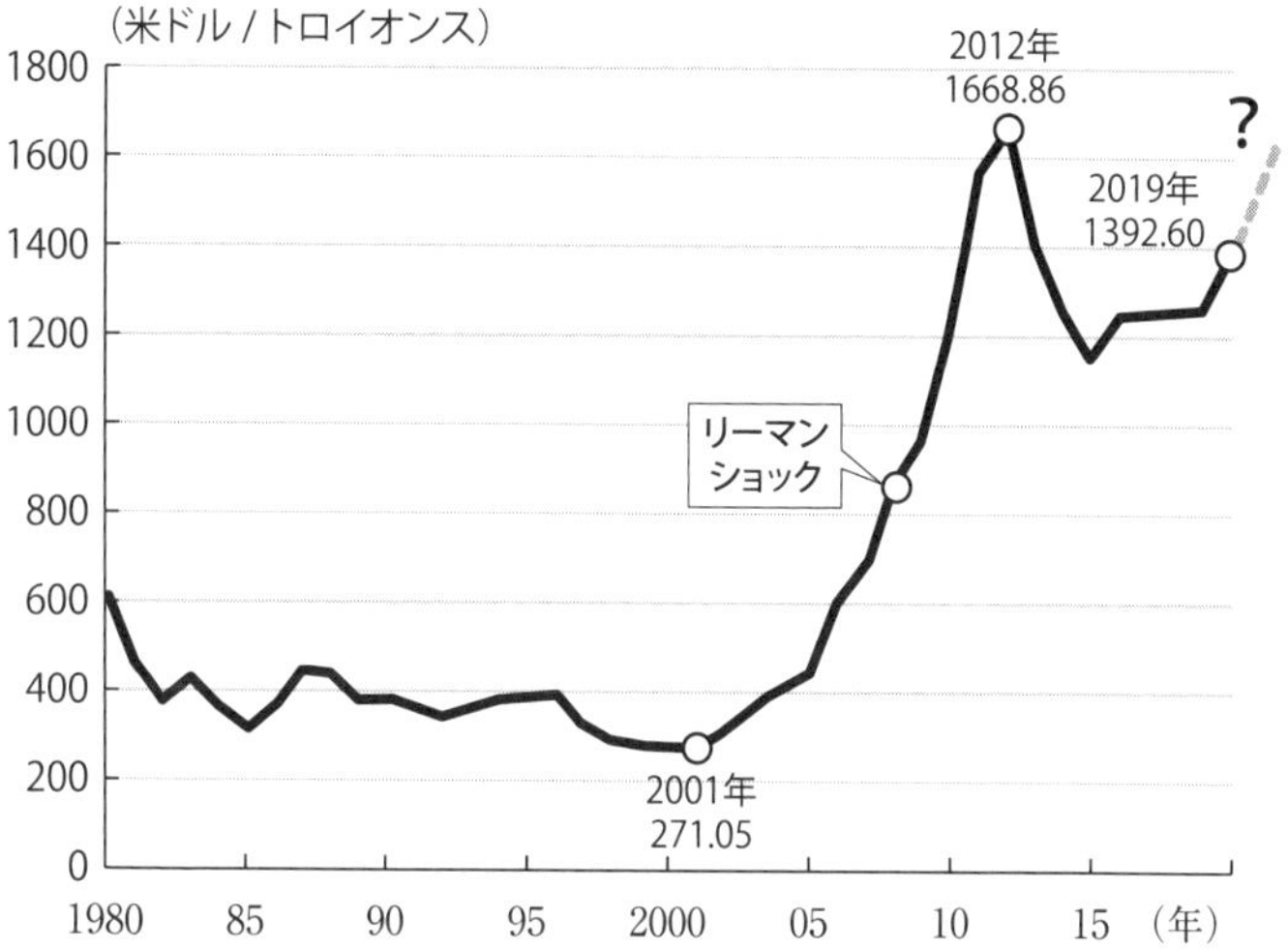


出所：田中貴金属工業のホームページをもとに作成

てバブルがはじけた。それから長い期間、何も起きていなかったので、私は金を買い続けた。

私はすでに金を買っているが、これから金相場が下がるようなことがあれば買い足すだろう。

学者は「金は買わないほうがいい」と言うかもしれない。政治家も同じことを言うだろう。しかし、私は野蛮な田舎者だ。田舎者は危機の時、金を買う。

多くの人は今後、世界の経済状況が悪くなると思っている。私も同じ考えだ。だから、経済危機になれば金は再びバブルになる。そうなると、爆発的に金の価値が上がる。人々はさらに金を買い求める。その時私は、金を売ることになるだろう。

すでに、その時期は近づいている。２０２０年になって金は右肩上がりで価格が上昇している。

世界のいくつかの国は今、崩壊しようとしている。大きな混乱が世界を襲うかもしれない。

その時、聡明な人は金を買わない。値動きの激しい投資先に聡明な人は手を出さないからだ。そして私のような田舎者が金を売る。

## 7　私はバフェットと考え方が違う　アメリカ株は買わない

アメリカを代表する富豪で現役の投資家であるウォーレン・バフェットが2020年5月、約5兆円の赤字を出したことを発表した。自身が率いる米投資会社バークシャー・ハサウェイ社の2020年1～3月期決算でのことだ。

アメリカでは保有株の価値が下がれば、その株を売らなくても損失として計上しなければならない。正しいかどうかは別にして、それが今のアメリカの会計ルールである。その結果、約5兆円の赤字になった。

バフェットは航空会社の株をすべて売却したという。好調が続いていた航空会社が、かつてのように復活することはないと考えているのだろう。

おそらく彼は正しい。ただ、私は航空会社の株価が100から30に落ちても、50ぐらいには戻るだろうと考えている。私にとっては、しばらくの間はそれで十分である。今、世界経済は混乱の中にある。バフェットは未来に期待していない。なぜなら、しばらくは世界は混乱から抜け出すことは難しいからだ。

航空会社は景気の動向に売り上げが左右される。また、ビジネス旅行への依存も大きい。

想像してほしい。今の状況でシンガポールに住む私にインタビューするために、外国から飛行機に乗ってくる人がいるだろうか。多くの人は、オンラインで会話ができるSkypeやZoomなどのアプリを使用してインタビューをするだろう。こういったやり方は、今後ますます広がっていく。

だから旅行は減り、航空会社は苦しいままだ。きっとバフェットもそう考えているのだろう。

私は、かつてのように100の状態に戻ってほしいと考えているが、そこにはたどりつかない。たどりつくとしても、長い時間がかかると考えている。しかし繰り返すが、50ぐらいには戻るだろう。そして、それで十分だと私は思う。

## アメリカ株はいつも高値

バフェットと私の意見が違うのは、実は航空業界に対してだけではない。投資全般についてもっと根本的なところで意見が分かれる。

バフェットは、コロナで世界経済が打撃を受けた後もアメリカ株に投資せよと言っている。「何事もアメリカの成長を止めることはできない」とも言っている。

彼はナイスガイで非常に賢い。そして成功している。アメリカ株への発言も、若い時からずっと同じことを言ってきている。その見方を変えることなく現在でも話している。

もし、あなたがアメリカで何が起きているかを詳しく知っているのなら、投資先として魅力的に思えるかもしれない。あなたの得意分野の分析と投資先の将来性が一致するなら、全力でそこに投資すべきである。

しかし、私はアメリカに関しては同じやり方をとらない。2020年6月の時点で私はアメリカ株に投資していない。アメリカ株はいつも高値で、さらに史上最高値を更新し続けてきたからだ。

## ニューヨークダウ平均株価の推移

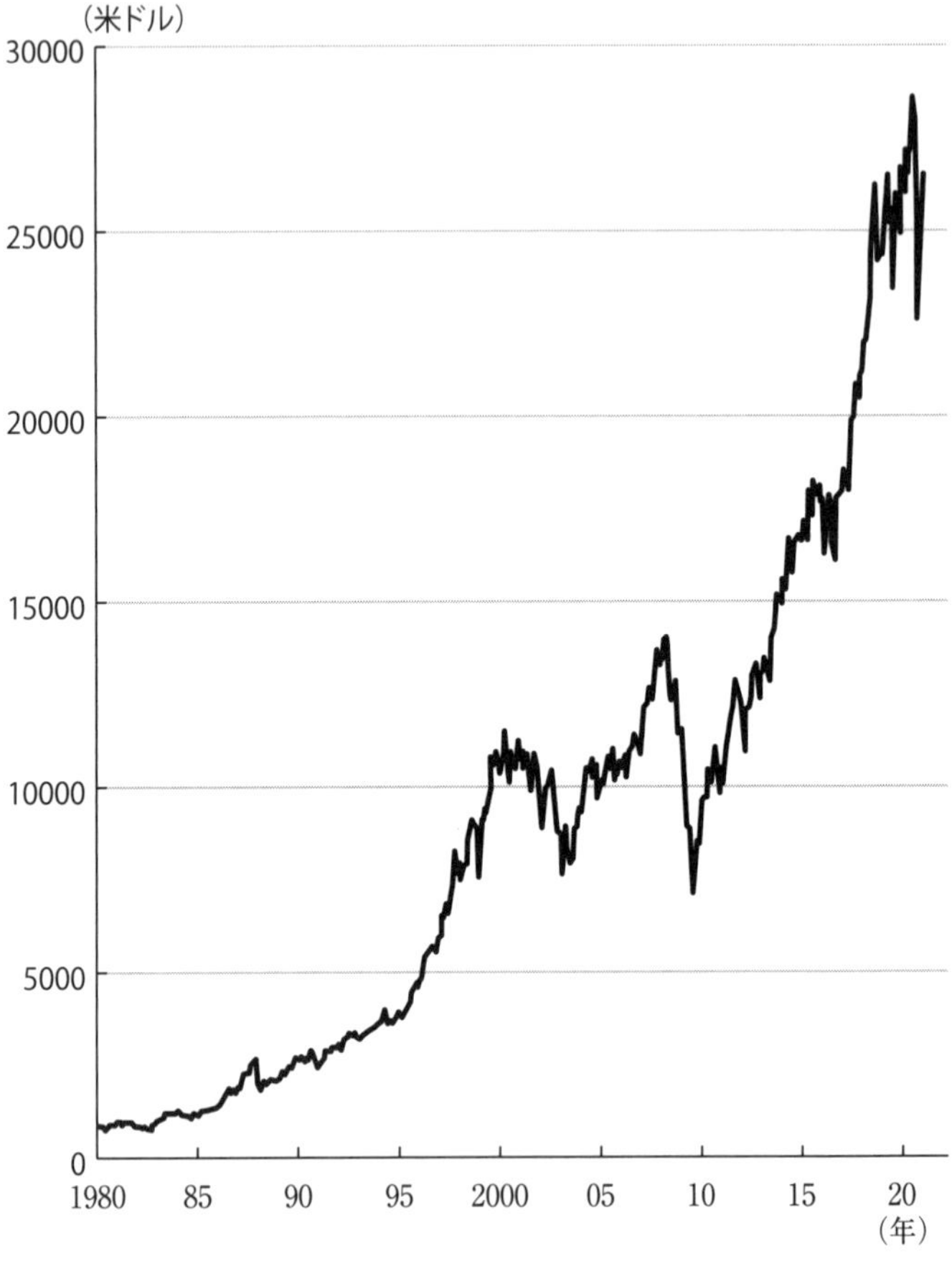

日本株は1989年末に3万8915円まで値上がりしたが、30年以上たった今もその5～6割程度にとどまっている。中国株も値崩れし、史上最高値の6割ぐらいだ。中国株も高くないと言える。

私は何よりも安い物を買うのが好きだ。たとえば、ロシアは世界中から嫌われていて、誰もロシアに投資しようとしない。だから、私はロシアに投資する。新型コロナの影響で、どの国も変化が求められているのと同じように、ロシアでも変化が加速すると考えているからだ。

私もアメリカ人だから、アメリカで良い兆候が見えたら間違いなくアメリカ株を買う。だが、今の時点でそのような材料は見当たらないのが実情だ。私はアメリカ株を買うよりも、値下がりして安くなっている企業や国に投資するほうが好きだ。

## アメリカに「素晴らしい未来」がない理由

私がアメリカ株に投資しないのは別の理由もある。

アメリカは、新型コロナの問題にうまく対応できていない。アメリカは感染拡大がはじまる2020年初頭の時点で、すでに世界の歴史の中で最大の債務国だった。それなのに、新型コロナ対策でさらに何兆ドルという債務を積み上げた。

これからさらにどれほどの債務を積み重ねるのか、わかったものではない。それを考えると恐ろしいほどである。

しかし、政治家は未来の若者たちのことなど考えていない。懸命になるのは、目の前の選挙のことだけだ。

また、アメリカは中国と対立している。アメリカと旧ソ連で覇権を争い合った東西冷戦は馬鹿げたことだったが、「新冷戦」などと言って同じことが繰り返されている。

過去の歴史でも国家の対立は常に存在した。しかし、そのほとんどは愚かなことだった。その歴史に学ぶなら、アメリカと中国は世界に繁栄をもたらすために協力して働くべきだろう。にもかかわらず、お互いの立場にこだわって争おうとしている。

なぜ、このようなことが起きるのか。歴史が教えてくれるのは、先にも述べたが、政治家は自らの国で問題が起きた時は、外国を非難するということだ。肌の色、言葉、衣服、宗教などなんでもいい。何か自分たちと違っている部分に文句をつける。明らかに間違った行動であるが、政治家たちはそれを利用し、自分たちの失敗から国民の目をそらそうとする。

アメリカは高速通信規格の「5G」で中国に出遅れた。だから、アメリカはファーウェイ社を「スパイ行為をしている」と非難している。

ほかにも、データの抜き取りなど安全保障面で問題があるとして、トランプ大統領は中国の動画投稿アプリ「TikTok」を、アメリカで使用禁止にする大統領令を出した。また、世界の人々は今、携帯電話の通信アプリで中国の「WeChat（微信）」かアメリカの「WhatsApp」を使うか迫られている。

私は、アメリカ人としてこういった行為を恥ずかしく思う。アメリカは、中国に対して技術で競争できないから、政治を使って戦いに勝とうとしている。

政治がこんなことをやっても、結局は技術が強いほうが勝つ。1980年代、世界で最も強かった日本の自動車産業はアメリカから激しく攻撃されたが、最後は日本が勝った。人々は、より便利で品質の高い製品を選ぶからだ。政治が介入しても、高い技術と強い経済力のあるところに勝つことはできない。

私の考えでは、WeChatとWhatsAppの両方を使えばいいだけのことだ。それで私たちの暮らしはさらに良くなっていく。

そのうえで、アメリカはもっと世界中から優秀なエンジニアを集めなければならない。そして、技術力を高めて堂々と中国に勝つべきなのだ。

今のアメリカは、自分たちの殻に閉じこもろうとしている。今の状況では、アメリカの人々、特に若い人々に〝素晴らしい未来〟が訪れることはないだろう。

## 自分が好きなことをやり続ける

バフェットと同じくアメリカを代表する富豪のビル・ゲイツについても一言述べておこう。

ビル・ゲイツはコロナが起きてから、ワクチンや検査システムの開発など新型コロナ対策のために自身の財団を通じて3億ドル以上の寄付をした。

危機の時には誰もがフリーランチを求める。ゲイツと一緒に活動している人々は、みんな盛り上がっていて楽しそうだ。そして、それが彼のやりたいことなのだろう。ならば、もっとやるべきだ。

私は自分のお金で何かをやろうとする人について、口を挟むつもりはない。お金を洞窟の中に隠しておきたいというなら、そうすればいい。自分のお金で、自分のやりたいことをやればいいのである。

ゲイツはしっかりそれを実践している。

その点はバフェットもまったく同じだ。彼は頭脳明晰な人物で、90歳になった今も投資家として仕事を続けている。世界的大富豪になっても、彼にとっては投資家でいることが幸福なのだ。

お金がたくさんあるからリタイアすればいいというのは見当違いだ。幸福になりたいのであれば、自分自身が好きなことをやり続ければいい。

幸福の探し方は簡単だ。「投資の原則その2」の「自分の知っているものにだけ投資する」で述べたことを思い出してほしい。

あなたがスマートフォンで最も閲覧するサイトがあるだろう。あるいは、よく読む本や雑誌でもかまわない。それが出発点なのだ。毎日見たいものが、あなたが関心のあることであり、愛情を持っているものだからだ。

ファッションに興味があるなら、あなたの好きな店の店員になればいい。そして、その仕事を他の人よりも深く愛していれば、やがて成功するだろう。

成功しなくてもいいではないか。20年も30年も愛し続ければいい。若い時の情熱に従うことが大切だ。

バフェットもゲイツもそうやってきた。

特に、他の人たちから「間違っている」と批判されるものがいい。そこにこそ、幸福になれる可能性がある。

# 第3章

# 国際情勢でわかる投資のタネ

# 1　北朝鮮は「宝の山」　あと2年で開かれた国になる

北朝鮮ほど虚実が定かではない情報が飛び交う国は、現在ではそうは存在しない。まずはメディアの報じ方の話から始めよう。

たとえばコロナ絡みでいえば、韓国の一部メディアが春先に「新型コロナウイルスが原因で北朝鮮の兵士180人が死んだ」と報じて話題になったが、こういった情報は信じてはいけない。

北朝鮮に関する韓国のニュースは、反北朝鮮のプロパガンダでしかないからだ。たとえ韓国メディアが「北朝鮮国内で新型コロナの死者が1万人を超えた」と報じても、私は信じないだろう。

日本やアメリカの北朝鮮報道も同様に信じてはいけない。どの政府もメディアを使ってプロパガンダをするからだ。

では北朝鮮情報を正しく理解しようと思うなら、どうすればいいのか。それは異なる情報源から話を聞くことだ。

第2章でも触れたことだが、たとえば北朝鮮について書かれた五つの国の新聞を読み比べてみればいい。英語ができれば、日本、中国、ロシア、中東には英語で発信するメディアがある。それぞれの報道には、大きな違いがあるように見えて共通している部分も多い。そのことに必ず気づくはずだ。

もちろん、慎重に情報を取捨選択しても間違うことはある。それでも、長い年月をかけて世界各国の複数の情報源を得るように努力することが大切だ。ただし、繰り返しになるが、どの国のメディアもウソをつくことを忘れてはならない。

## 金正恩氏は鄧小平氏の手法に倣う

米朝首脳会談が最初にここシンガポールで開かれたのは2018年6月のことだった。

それから両首脳は2回顔を合わせたが、関係改善への歩みは止まっている。2019年10月にストックホルムで開かれたアメリカと北朝鮮の実務協議が決裂し、アメリカは対話の再開を呼びかけたが北朝鮮は応じる構えを示していない。

しかし、私の分析ではロシア、中国、韓国などの周辺国も北朝鮮の開国を望んでいる。南北統一とまではいかなくても、北朝鮮が各国と交流を深める「オープンボーダー」が進むことは、これらの周辺国にとって歓迎すべきことである。

実際、北朝鮮は開国に向けた準備を着々と進めている。現在の北朝鮮には、まだ株式市場がないが、いざという時のために市場がどのように機能するのかを学んでいるようだ。シンガポールに来る北朝鮮の人たちは若くて頭がいい人ばかりだ。

私の考えでは、北朝鮮はあと2年で外国に開かれた国になる。

金正恩朝鮮労働党委員長はスイスで教育を受けて育った。今のままの北朝鮮に住み続けたいと思うはずはなく、経済の開放を目指すのは当然のことだ。

日本のメディアでは全く伝えられていないが、金正恩氏は、改革開放で中国発展の礎をつくった鄧小平氏がやったことを、自分も北朝鮮でやりたいと話している。

北朝鮮の将官たちもまた、若いころに北京や上海、モスクワなどの国際都市に駐在した経験がある。自分たちが赴任した30年前から飛躍的に発展したこれらの国際都市に比べ、時代遅れのままの平壌を見ると歯がゆく感じるだろう。

外の世界を知る人たちが北朝鮮に前向きな変化をもたらしているのだ。金正恩氏のリーダーシップと昔から培われてきた「勤勉な国民性」を持つ北朝鮮は、韓国の経営能力や資本へのアクセスというノウハウと組み合わせることにより、刺激的な国になりうる。投資先としては非常に魅力的であり、私が北朝鮮に投資したいと断言する理由もそこにある。

## まずは観光に注目

北朝鮮には、すでに15カ所の自由貿易地域がある。国際マラソンなどのスポーツイベントが行われる場所や、国際スキーリゾートなどがそれにあたる。韓国と北朝鮮の軍事境界線の北朝鮮側にある開城《ケソン》工業団地は2004年に操業を開始したが、2016年の北朝鮮の長距離ミサイル発射により韓国側の指示で操業を停止している。

これらが動き出せば、朝鮮半島の今後10~20年は世界の投資家から最も注目される地域になる。

投資対象は「ほとんどすべて」と言ってもいいほどだが、まず注目しなければならないのは「観光」だろう。

北朝鮮には現在、観光業が存在しない。北朝鮮は世界に流通している観光マップに掲載されたことがない。

もともと厳しく閉鎖されていたので、「隠者の国」と呼ばれていたのが北朝鮮だ。1900年代に日本の植民地となり、その後は世界が入り込んで、そして第2次大戦後、北朝鮮が誕生した。

だから誰も北朝鮮に旅行に行こうとは言わない。アジアに旅行しようと考えるときには、日本や中国やバリの名前は挙がっても、北朝鮮を挙げる人はいない。開国によって、それが変わっていくだろう。

北朝鮮が国を開いて軍事境界線が開かれたとき、多くの人は北朝鮮に行ってみたいと思うだろう。新鮮で他の国とは違うからだ。そして旅行に行けば、とても良いもの、良い景色、良い食事を楽しめる。歴史上初めて、世界の観光マップに記載されることになるのだ。

## ポテンシャルあふれる国

観光はこれからの話だが、このところ経済自体も頑張っている。北朝鮮の経済成長率はこの20年でじわじわと伸びている。1999年には前年比6％という高い成長率を実現し、2016年には日本、韓国、アメリカを上回る高い成長率を達成した。国際社会からの経済制裁や干ばつなどの影響は無視できないが、今後も北朝鮮の成長率は伸びるだろう。

このように高いポテンシャルを持つ北朝鮮をめぐっては、ロシアや中国がすでに着々と進出を進めている。ロシアは自国と北朝鮮をつなぐ鉄道を建設したほか、北朝鮮の北側に2〜3の港湾施設を建設した。中国も同様に北朝鮮に通じる橋や道路を建設している。

とはいえ、北朝鮮はインフラが整っていない。電力も不足しているから投資先がまだ残されている。

私はこれまで世界旅行を2度しているが、どの国でも最初にピザ屋を作った人間は人気者になる。観光にも関連するが、北朝鮮でピザ屋を始めてチェーン店を展開すれば、きっと大金持ちになれるだろう。マクドナルドやスターバックスも同じだ。

その他にも、農業なども投資先として期待できる分野だ。

こんなことを言っても、信じる人は少ないかもしれない。しかし、私が1980年代に「中国に投資すべき」と言った時、周囲からは嘲笑されたものだ。誰も考えないアイデアを持つことが投資の成功を導く。

北朝鮮に最後に行ったのは2013年だった。この時、北朝鮮では大きな変化が起きていた。

それより前に北朝鮮に行った時は、人々は鎌を使って手作業で草刈りをしていた。それが、この時は市場に行くと、大きな敷地に数百の店が並んでいた。世界中から食べ物もそろっていた。良質のお酒もあり、電化製品も売っていた。

「北朝鮮は、都合の良い場所だけをあなたに見せただけだ」と言う人もいるだろう。特に、日本のメディアはそんなことを言う。フェイクだったのだ、と。

だが、ちょっと考えてほしい。何百もの出店に食べ物やものがあふれていて、何千もの客が歩いている。それが私のためだけにやっているのだろうか。市場の中はいくらでも歩き回ることができ、ビールも飲めた。たくさんのフルーツもあった。「北朝鮮では餓死者が相次いでいる」というプロパガンダとはずいぶん違ったものだ。

北朝鮮の人々は1978年の「改革開放」によって中国が急速に発展し、北京がどれほど変わったかを知っている。最後に私が北朝鮮に行った時も、DVDで中国人の暮らしぶりを知っていた。

もう、ウソはつけない。みんなが変化を求めているのだから、軍事境界線は開くはずである。

## 日本と韓国はどう動くか

今後、北朝鮮が開かれた国になり、韓国と平和を築くならば、多くの資金が世界中から韓国に流れ込んでくるはずだ。韓国経済を支えている財閥系企業は潤沢な資金を北朝鮮への投資に振り向けるだろう。

韓国だけでなく、北朝鮮が開かれると、多くの人が朝鮮半島に入っていくだろう。北朝鮮からも起業家が出てくるほか、中国の企業家も朝鮮半島に目を向けビジネスが活性化する。もし日本が、韓国と北朝鮮の雪解けを視野に入れて先行投資をしておけば、いざ北朝鮮の市場が開かれたときに大きな利益を得ることができる。

しかし、日本と朝鮮半島問題の根底には、米軍の駐留問題が横たわっている。アメリカに税金を支払っている立場で言わせてもらうと、駐留は全くナンセンスであり、米軍は一刻も早く引き揚げるべきだ。

そもそも、アメリカ本土のほとんどの人たちは、韓国に米軍が駐留していることさえも知らない。ところが、米軍にとっては、ロシアと中国の国境近くに軍隊を配備できることは軍事戦略上、極めて有利であって、そこを去りたくはない。米軍のトップとしては、居続けること自体が重要だ。

米朝交渉の中で、アメリカは北朝鮮に対して核を廃棄すべきだと主張している。一方の北朝鮮も、米韓に対して核を廃棄すべきだと主張している。

韓国は核兵器を持っていないので、北朝鮮の金正恩朝鮮労働党委員長は、米グアムに配備している米軍の核兵器のことを指しているに違いない。金委員長は、韓国に駐留している3万人の米兵とグアムに配備している核兵器をなくせば、自分たちも核を放棄すると言うはずだ。

北朝鮮は財政のほとんどを貿易ではなく防衛に使っている。軍事境界線を挟んで北朝鮮も韓国も、いつ死ぬのかわからない恐怖の中で生きていかなければならない。いったい、戦争で死にたいと思う人がいるだろうか。

私は、3万人の在韓米軍がそこからいなくなった瞬間、その日のうちに朝鮮半島問題は解決すると思う。

アメリカは軍隊が好きなので、韓国から帰国したところで他に駐留する基地はいくらでもある。ただしトランプ大統領から「在韓米軍の3万人の受け入れを頼みますよ」と言われても、日本もこれ以上受け入れる余地はないだろう。

韓国にとっても、日本にとっても、米軍が居続けたいと思うこと自体が問題なのだ。それなのに、トランプ大統領は米軍の駐留費用の増額を迫っている。

トランプ大統領と軍のトップの思惑も違い、交渉は一筋縄ではいかない。本来は協力すべき日韓がいがみ合っていては、解決の道筋は一向に見えない。

## 2 欧州は分裂の時代　アジア連合の誕生も

2020年1月末、3年半がかりで、ようやくイギリスのEU離脱、ブレグジットが現実のものになった。これは、イギリスにとって良いことなのか。

もちろん多額の借金を抱えているイギリスにとっては、良いことではない。彼らの最大の市場が変わってしまうからだ。

ご承知のとおり、イギリスの国内には分裂勢力が複数ある。スコットランド独立を問う住民投票の実施を訴える勢力が勝利しており、今後、中央政府とスコットランド自治政府の政治的な緊張は高まるだろう。北アイルランドもしかりだ。

イギリスのEU離脱で原油価格の上昇は避けられない。そうすると、スコットランド

## EUは分裂するか

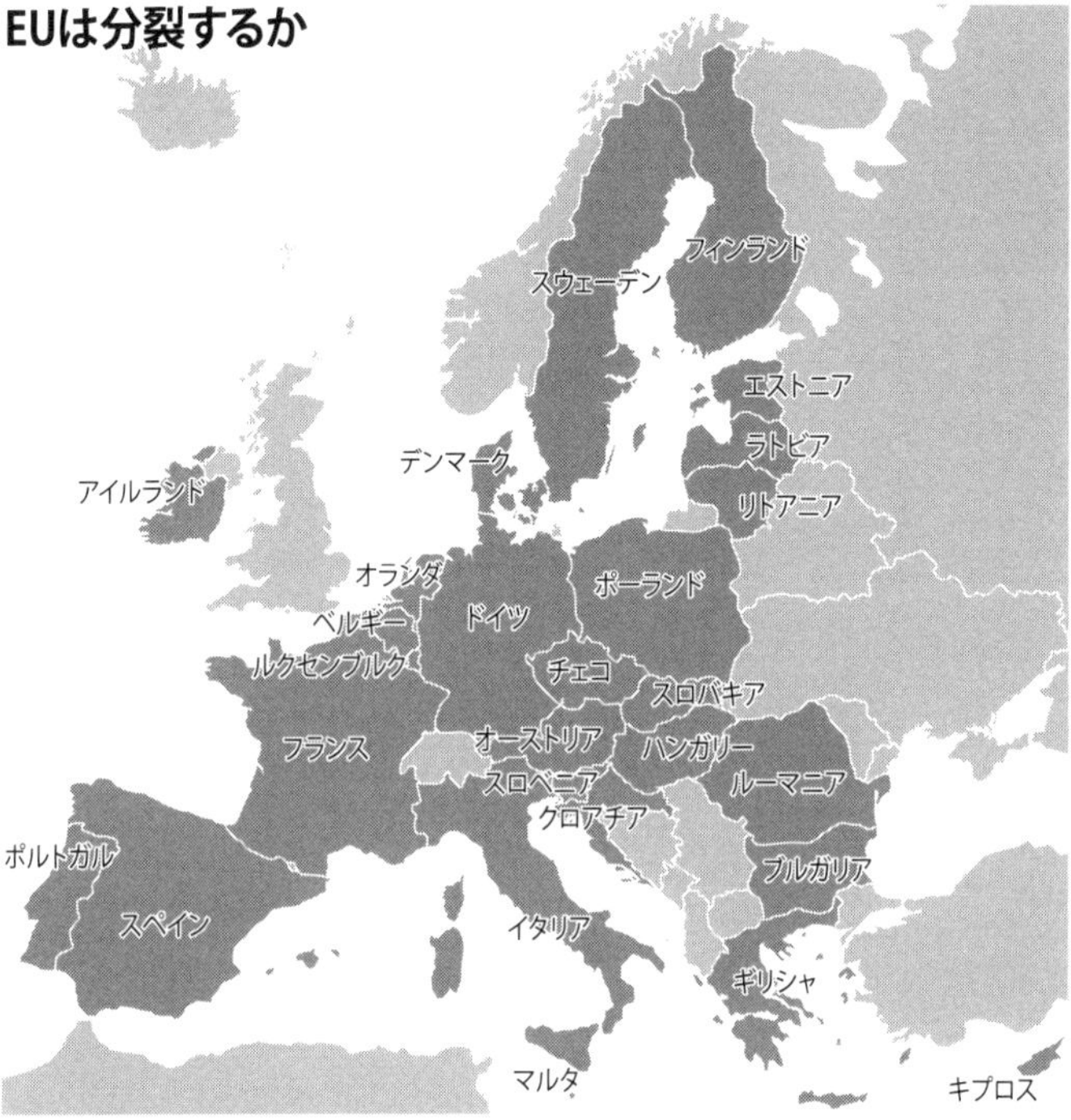


## EUの歴史とブレグジット

| | |
|---|---|
| 1952年 | フランス、西ドイツ（現ドイツ）、イタリアなど6カ国で欧州石炭鉄鋼共同体設立 |
| 58年 | 欧州経済共同体（EEC）設立 |
| 67年 | 欧州共同体（EC）誕生 |
| 73年 | イギリスがECに加盟 |
| 89年 | ベルリンの壁崩壊。東西冷戦終結 |
| 92年 | マーストリヒト条約（欧州連合条約）調印 |
| 93年 | 欧州連合（EU）が12カ国で発足 |
| 99年 | 欧州単一通貨「ユーロ」導入 |
| 2002年 | ユーロ紙幣・硬貨の流通開始 |
| 04年 | ポーランドやチェコ、バルト3国など旧共産圏を含む10カ国が一挙にEU加盟 |
| 16年 | イギリスの国民投票でEU離脱派が勝利 |
| 20年 | 1月末、イギリスがEU離脱 |

や北アイルランドへの経済的な影響が深刻になっていく。仮に両者がイギリスから離脱するようなことがあれば、さらに深刻な状況に陥る。

ヨーロッパ情勢を理解するには、歴史を振り返ってみるのが有効だ。

100年前はイギリスは世界でも最も金持ちの国だった。世界で最も強い国だったが、アメリカに覇権を奪われた。

それでも第2次世界大戦後、イギリス政府は、「ゆりかごから墓場まで」といわれた手厚い福祉政策を行った。それで70年代に経済政策が行き詰まって経済状況は悪化した。折しも73年に石油ショックが起こった。原油価格が上昇し、インフレ傾向にどんどん拍車がかかっていった。消費者物価上昇率が10%を超え、原油価格の上昇によるコスト負担から生産が落ち込み、一方で輸入額が拡大し、経常収支は赤字になった。ポンドは暴落、イギリス政府はＩＭＦに緊急支援を要請するはめになった。

## イギリスはとどまるべきだった

今回の離脱の根底にあるものは、私の見立てでは離脱派の中心的な人物がブリュッセルにあるEU本部の行政機構がイギリスのためにならないと思ったことにある。

私は彼は正しかったと思う。

ブリュッセルはひどかったし、いまもひどい。私はブリュッセルの行政機構はなくしてしまうべきだと思っている。

自由市場の廃止はしなくてもよい。開かれた市場は大切なものだからだ。大きな自由貿易圏は常に誰にとってもいいものだ。従って、EU官僚やEUの政治家を取り除くいい方法を考えるべきだと私はかねて思っていた。

しかし、残念ながら「ブリュッセルをなくせ」というのはイギリスの国民投票にはなじまないテーマだ。そこで残った選択肢がEU離脱だった、ということだろう。

私がイギリス人なら離脱には投票しなかったと思う。離脱派にも残留すべきだと言っていた。なぜなら、「問題はブリュッセルにあり、官僚主義こそ取り除かねばならない」と認識するようになった国や政治家たちが、EU内に増えてきていたからだ。だから私は離脱すべきではないと言ったが、誰もそのことに耳を貸さなかった。

イギリスはEUに残留し、他の国々、ドイツやフランス、イタリア、その他の国々に影響力を発揮していけばよかった。

しかし、もう手遅れだ。いまや誰しもが感情的になり、「よそ者は出ていけ」というようになっている。おそらくイギリスの状況はより悪化していくだろう。

今回のイギリスのEU離脱の影響はイギリスだけにとどまらない。EUはイギリスの離脱をきっかけに、バラバラになってしまうかもしれない。

いつも言っているように、政治家は経済運営がうまくいかなくなると誰かのせいにするのが習性だ。「他国が悪い」「EUが悪い」となり、最終的には、「イギリスがEUから出るなら、じゃあ自分たちの国も……」となる。

経済が行き詰まり多くの人がハッピーでなくなると、政治家たちの動きはそういうふうになるものだ。

EUを離脱するのはイギリスにとどまらない可能性がある。

ドイツやフランスまでもが離脱すれば、単一通貨ユーロも無力化し、マルクやフランなど自国通貨に戻るだろう。これは、1999年1月1日から導入されたユーロやECB（欧州中央銀行）による統一的金融政策の終焉を意味する。

## 世界中の貿易がアジアに

欧州が分裂に向かうことは、アジアにとっては統合に向けて動き出すチャンスだ。欧州の分裂と並行してアジアの経済統合が加速する可能性は十分にある。

その時、世界の各国はどう動くか。世界中の貿易は、バラバラになったＥＵよりも、やはりアジアを選ぶに違いない。

50年前、１９７０年なら欧州とアメリカが世界のトップだった。その頃のアジアは取るに足らない存在だった。しかし、そこから日本や中国、韓国、台湾、シンガポールで何が起きたのか。逆に、イタリアやスペイン、フランスなど西洋諸国で何が起きたかを振り返ってみるがよい。

過去50年で見ると、世界で最も成功した国は日本だ。今は勢いを失いつつあるが、50年という長いスパンで見ると圧倒的だ。過去40年で見ると、世界で最も成功した国は今度は中国になる。

台湾や韓国、インド、シンガポールなど多くのアジア諸国が近年、相当に発展してきている。この20年、30年で見ると、アジアは欧州よりはるかに成功してきたのだ。

アジアがどんなふうに成長してきたかを知っている国や人々ほど、ＥＵよりもアジアに好意を持つはずだ。

## ノーベル経済学賞は西洋人ばかり

欧州の人々に人種的な偏見があることも、世界がアジアへの動きを強める一因になるかもしれない。コロナが中国から始まったことが関係しているのだろうか。西欧の白人は今、アジア人に偏見を持つようになっていると感じる。

イギリスの学校にいる私の上の娘に聞くと、彼女が中国人やアジア人の友達と街で一緒にいたら、イギリス人から「帰れ、帰れ」と叫ばれたそうだ。私の娘は青い目にブロンドだから、彼女に対してではなく、一緒にいた中国やアジアの友達に対して向けられた言葉だろう。「マスクはどこだ?」とも言われたそうだ。

1969年から始まったノーベル経済学賞でも不思議なことが続いている。インド以外のアジア人でこの賞を取った人は一人もいないのだ。

前述したように、この50年でアジアはとてつもない経済成長を遂げた。私に言わせれば、中国の改革開放を主導した鄧小平氏や、シンガポールを世界の金融センターに育てたリー・クアンユー氏がノーベル経済学賞を受賞しても何ら不思議ではない。

政治家にノーベル経済学賞は贈れないとするなら、なぜ日本の経済学者が受賞していないのか。とにかく受賞するのは西洋の経済学者ばかりなのだ。

もちろん人間は何らかの偏見を持つものだし、コロナのような危機的状況のもとでは差別が表面化するのも仕方がないのかもしれない。

しかし、言われたほうはどう思うだろうか。偏見を持つ欧州の人々に好意を向けることがないことは容易に想像がつく。

世界情勢に話を戻そう。

すでに、ＡＳＥＡＮ（東南アジア諸国連合）加盟10カ国と、日本、中国、韓国、インド、オーストラリア、ニュージーランドの6カ国を含めた16カ国でＦＴＡ（自由貿易協定）を進めるＲＣＥＰ（東アジア地域包括的経済連携）の構想が進められている。

今後、中国がリーダーシップを取る形で、自由貿易圏を形成する動きに拍車がかかっていくだろう。

「中国の支配力が強まる」とか、「インドが加盟しないのではないか」など日本にはＲＣＥＰの行方を心配する人も多いが、一度できてしまった世界の歴史の流れを止めることは誰にもできない。

イギリスの時代が終わってアメリカの時代となり、そして今、中国がアメリカから覇権を奪おうとしている。それはそれでいい。今の状況をうまく使って、アジアの時代を実現させることのほうが重要だ。

## 3　インドはまだ成功しない　ロシアへの投資は魅力的

インドは中国と長らく領土問題で対立してきた。しかし、ようやく最近は経済問題での協力姿勢が鮮明になってきている。

ただ、中国が世界をリードする日は来るかもしれないが、インドが成功することはまだ考えにくい。

なぜなら、インドには官僚制度がはびこっているからだ。使われている言語の種類も何百とあるし、民族集団の単位も宗教も多い。今のままでは「本物の国家」にはなれない。

官僚主義は、ウォルマートの話が参考になる。ウォルマートは中国に数百の店舗を出店しているが、インドには子会社が所有する数十店舗があるだけだ。

インド政府は、「外資は安全保障上の脅威がある」と考えているようだ。だから、インドでは小売業に外国資本の企業が入りにくくしている。インドは「TikTok」の使用も禁止したが、彼らはこうしたことが大好きだ。制限のある経済体制を敷いていて、さまざまなことをコントロールすることが好きだからだ。

これがインドのやり方だ。経済をものすごく規制する。これは長期的にインドにとっていいことだろうか。おそらく違うだろう。

1980年、インドは中国より豊かだった。いまはもちろん、中国はインドとは比較にならないほど豊かになっている。インドはこの40年間、国を閉じ、規制で国内産業を保護しようとしてきた。中国は開放的だった。

それが常に起こっていることだ。開放的な国はより繁栄していくし、閉鎖的な国はより貧しくなっていく。

だから、私はインドに投資するつもりはない。かつて何度かインドに投資したことがあるが、実りがなかった。

今後、チャンスが来るかもしれないが、インドの株式市場は割高な状態が長く続いていた。したがって私はインドには投資していない。

それでもインドは、一度は訪れるべき国だと思う。実に多様性に富み、少し通りを歩いただけで楽しませてくれるからだ。女性も男性も容姿端麗で、頭も非常に良い。大成功して億万長者になった人がごろごろいる。

インドは中国以上に汚染がひどく、住むのは敬遠したいが、旅行するには素晴らしい国だ。もし一生に1カ国しか訪れることができないとすれば、インドに行くべきだと思う。

## プーチンは政策を変えた

インドと並ぶ新興国でも、ロシアのビジネス環境は劇的に変わっている。私は2014年ごろまでは、ロシアに対して悲観的な見方をしていたが、今では楽観的な気持ちを抱いている。年4〜5回は訪れるほどロシアの経済成長に注目している。

ロシアには2014年から欧米による経済制裁が行われてきた。2017年から2018年にかけて、アメリカはロシアへの制裁圧力をさらに強化した。しかし、皮肉なことに、それによってロシアの農業が繁栄している。

私はロシアの農業に魅力を感じ、ロシア株としては肥料会社の銘柄を持っている。ロシアの農業が繁栄するのは、欧米の制裁によって食糧を自由に輸入できず、自分たちで栽培せざるを得ないからだ。農業が繁栄すると、当然肥料の需要も増大する。だから私は、肥料会社に投資するのだ。

つまり、ロシアの農業の繁栄は、制裁を強化しているトランプ米大統領のおかげだともいえる。私は制裁が加えられる前からロシアの農業に投資しているが、制裁後のほうが投資環境はよくなっている。トランプ大統領が制裁を強めれば強めるほど、ロシアの農業はもっと伸びていくだろう。

また、ロシアの証券取引所は、まだ30年ほどの歴史しかない新しい分野だ。成熟しておらず、投資しようという海外投資家は少ない。ロシア株式市場の指数は、2008年ごろに記録した最高値から半減したままの状態を保っている。だからこそ、投資するにはもってこいなのである。

よくプーチン大統領の独裁的な統治を理由に、ロシアを批判する人は多い。しかし独裁政治でも、伸びている国は世界にはたくさんある。日本だって自民党の一党独裁政治で高度経済成長を成し遂げたし、シンガポールもそうだ。

私の気持ちが変わったのは、ロシアが変わろうとしていることに気付いたからだ。プーチン大統領は元ＫＧＢのレッテルを貼られるのが嫌で、数年前に政策を変え、リスペクトされることも増えてきた。私の周りにはロシアを嫌う人は多いが、そもそも私は嫌われている人や物が好きなのだ。

## 4　台頭するアフリカを見る眼　中国が影響力を強める理由

一口にアフリカといっても単なる一つの場所とは言えない。50カ国以上もある世界で2番目に大きい大陸だ。

この大陸で政府の管理が行き届いた国があれば、そこには素晴らしい投資機会があるだろう。

たとえば、エチオピアは人口1億人を抱えながらとてもうまくやっている。一方、2000年代のハイパーインフレに続いて、最近もひどいインフレが現実のものになったジンバブエは惨状を呈している。

私は最近、ジンバブエで株を少し買った。ある国が崩壊した際、もしそこに投資することができて、かつ、5〜6年それを持ち続ける力があるのなら、成功する可能性が非常に高いからだ。

アジア諸国がテイクオフしつつある中、次に急成長が見込めるのがアフリカ大陸だ。だが、単にアフリカといっても個々の国によるとしかいいようがない。

## 投資候補国の指導者を観察する

ある国の良し悪しを知りたいと思ったら、まず指導者たちを観察することだ。指導者たちが自分たちが行っている政策の意味をわかっているのかどうかを見なくてはならない。

ジンバブエは今もひどい状態だが、この国は50年前、イギリスの支配下で最も成功した国のひとつだった。ところが今から40年前の1980年、ムガベというリベラルな人間が首相（のち大統領）となって権力を握り、すべてを台無しにしてしまった。アフリカで最も豊かだった国を完全に破壊してしまったのだ。

アフリカ諸国に限ったことではないが、指導者のリーダーシップに注目することはとても大切だ。いいリーダーシップは国のためになるが、悪いリーダーシップは国に害をもたらす。だから指導者を見極めなければならない。

指導者がその国の人々に前向きな変化を起こしていることがわかったら、その国が何を持っているのかを調べればよい。天然資源が豊富なのか、よく教育され規律の取れた労働力が揃っているのか、それとも……。どんな投資を始めるにしても、こうした視点で国家を見ていくことが大切だ。

ルワンダもすぐれた指導者を持つ国だ。自分たちのやっていることを理解し、かつそれを実践している指導者がいる。そしてルワンダへの投資はまだ高くない。むしろ非常に安い。1990年代の内戦で悲惨な状況に陥った事態を引きずっているのだ。

その内戦で私は一つのことを学んだ。

内戦が終結した後、あるいは戦争が終わった後に、その当事国に行けば、すべてが安くて素晴らしい投資機会がある、ということを。

ジンバブエで株を買ったのも同じ理由だ。ルワンダそのものについては、今は投資をしていないが、最近、投資再開を考え始めている。

中国の「一帯一路」

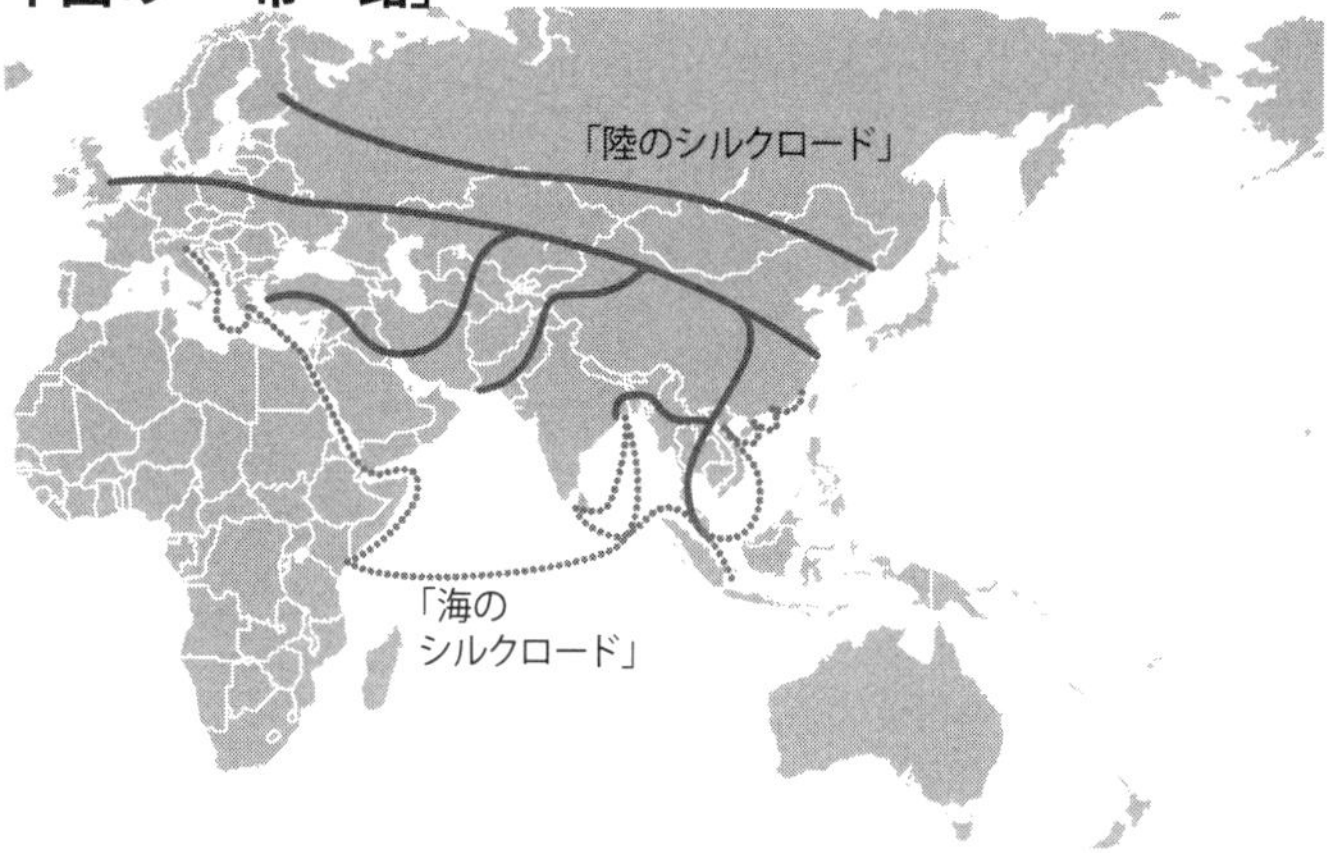


## 影響力を強める中国のやり方

成長は人を引き寄せる。ただし、かつてアフリカの多くの国々を植民地にして支配してきたフランスとイギリスの存在感は、今では非常に小さい。

アフリカで動きが目立つのは中国人である。目立つどころか、中国人はアフリカ大陸でこの10～15年、非常にいい仕事をしていると言えるだろう。

中国はアフリカでさまざまな経済プロジェクトを進めている。家電から日用品までさまざまな製品を販売し、インフラを含めたさまざまな投資を行っている。

中国は毎年、アフリカ諸国の首脳を集めた会議を北京で開いている。また、多くの中国の指導者はアフリカ諸国をしょっちゅう訪問している。アフリカと中国の間は首脳同士の往来が非常に活発なのだ。

中国のアフリカ諸国との付き合い方は、過去、アフリカにやってきたアメリカやフランス、イギリスなど欧米諸国が取った方法とまったく違っている。

欧米諸国はアフリカで事業をしようとしたとき、やってきてこう言った。

「ここにこれだけの資金がある。このお金を置いていくから、私たちの言うとおりに事業を行ってくれないか」

ところが、中国は違う。アフリカに来てこう誘うのだ。

「ここにこれだけの資金がある。さあ一緒にやりましょう」

どちらがやる気になるだろうか。言うまでもあるまい。アフリカの人たちは欧米諸国と組むときよりは、はるかに不満は少ない。

今後も、今よりはるかに多くのアフリカ諸国の人が欧米諸国よりも中国に関心を持っていくことだろう。中国人はおそらく賢い。かつての欧米諸国のように、力によって支配しようとはしないからだ。

前ページに地図を掲げたが、中国は「一帯一路」という巨大な経済圏構想を抱えている。これは世界の交通を大きく変える可能性があると私は思っている。中国と欧州を結ぶルートのいずれかが強力なものになっていくだろう。海のシルクロードにはアフリカも絡んでいる。

中国がどんどん影響力を強めていくが、私はアフリカ諸国が中国の植民地になるとは思っていない。アフリカにおける中国の存在感が否応なく増していく。それが今、起こっていることだ。

欧米諸国との絆が薄れ、中国との結びつきを年々、強めつつある。これが今後のアフリカ大陸の姿だ。

## 5　次のアメリカ大統領がなすべきこと　借金返済と教育・医療改革

トランプ大統領は再選に向けて必死で選挙戦を戦っている。歴史を見れば、トランプ氏が選挙に勝つことに賭けるのが常識的だ。現職の大統領を破ることはとても難しいからだ。

現職の大統領にとって、勝たなければならない地域が出てくれば、そこにたくさんのお金を使うことができる。野党候補にはそれはできない。だから現職は強い。

だが、新型コロナへの対応の失敗などでアメリカの経済は傾いているので、選挙結果がどうなるかはここにきて不透明になってきた。世論調査の数字を見る限りは、民主党のバイデン氏が優位に立っている。

どちらが大統領選に当選するかわからなくなってきたが、次のアメリカの大統領が何をするべきなのかについては明白だ。

## かつてのイギリスと二重写しに

私は今、アメリカのことをとても心配している。100年前のイギリスと今のアメリカが、そっくりだからだ。

1920年、イギリスは世界で最も金持ちで最も強い国だった。ほかの国々に圧倒的な差をつけて断トツだった。しかし、その後、次第に金遣いが荒くなり、国力がどんどん落ちていった。

今やイギリスは世界のトップ20に入らない国になってしまった。それでもイギリスは存在し、イギリス人は変わらず生活を続けている。しかし、彼らの生活水準は100年前に比べれば非常に低いものに下がってしまった。

いまアメリカが借金を重ねてお金を使っている姿が、こうしたイギリスのかつての姿に二重写ししているような気がしてならない。だから心配なのだ。

アメリカがやっていることは11月の選挙にとってはいいことかもしれないが、アメリカの未来と、その未来を生きる今の子供たちにとっては非常に悪いことだ。

そういう視点で見ているからこそ、次のアメリカ大統領がやらなければならないことは決まっていると断言できる。

一つは斧でもって支出を減らすことだ。次の大統領は、ドラスチックに、そして恐ろしいほどに支出を抑える必要がある。金遣いの荒さを正すのだ。

そのためには世界１００カ国以上に駐留している米兵をアメリカに戻す必要がある。ほとんどの軍隊は友ではなく敵を作っている。日本にもアメリカの軍隊がいるが、それによって日本とアメリカは友好的になっているわけではない。韓国もまったく同じだ。

多くの国から軍隊を撤退してお金を使うのを止めることだ。そうすればアメリカは借金を返していくことができる。借金を返せるようになれば、再び繁栄へ向かう可能性が出てくるだろう。

また、次の大統領はアメリカの教育を再生させなければならない。

アメリカの競争力が落ちている一つの原因は、このひどいアメリカの教育システムにある。アジアは過去数十年、急成長しているが、それは素晴らしい教育システムが存在していからだ。

## 保護主義に陥らず、国を開き続ける

医療についても改革を進めていかなければならない。

世界で2番目に医療に金をかけている国と比べても、アメリカはその3、4倍も医療に金を使っている。にもかかわらず、平均寿命は世界で20番目にも入っていない。

医療制度にもドラスチックな改革が必要だ。

医療がおかしくなっているのは、弁護士同士が訴訟をしあって争っていることにある。病院に行ったらたくさんの検査を受けさせられる。それは患者から訴えられた時のために、「いいえ、ちゃんと検査をしています」と言えるようにするためだ。言い訳づくりである。医療に金を使いすぎているから我々の競争力は落ちている。だから医療制度をどうにかしないといけない。

こうした改革を通じて、アメリカ経済を世界に向かって閉じるのではなく、開き続けることが必要だ。

これまでのように、「ファーウェイは悪だ、犯罪者だ」などと言っていても仕方がない。実際は全く違う。ファーウェイには素晴らしいエンジニアたちがいて、より良い製品を作っているだけなのだ。

ファーウェイは危険、禁止しなければいけないと言っていては、競争に勝つことなどできない。保護主義に陥ることも同様で、保護主義を続けていけば競争力を失い、5年後や10年後、15年後にはさらにひどいことになっているだろう。

もう一度、言う。アメリカ経済は閉じるのではなく開くことが必要だ。

しかし、人間社会はいつも複雑だ。現実に大統領がいろいろな改革を進めようとすると、すぐに反対する人々が出てくる。

教育改革に取り組めば、アメリカの教師たちが反対し始めるだろう。医療制度にメスを入れれば、薬品メーカーなどの巨大な業界が一斉に牙をむき始める可能性が高い。結局、多くの人が現在の教育システムや医療システムで利益をあげ、それで生活しているのである。

次の大統領が「何かをしなければ」と言って、本当にやらなければならないことを始めたら、6カ月か1年経ったら人々は「ちょっと待て。これは行き過ぎだ。あまりにも痛みが大きすぎる」と言い出すだろう。

アメリカのためにやらなければならないことをしようとすると、あまりにも大きな変化や痛み、混乱が同時に起こる。ひょっとしたら、次の大統領が改革を始めたら撃たれてしまうかもしれない。

だから、よけいにアメリカが心配になるのである。

第4章

# 日本はなぜダメなのか

## 1　人口減少と膨大な借金　日本の衰退は必然だ

私のほかの本でも紹介しているが、私の考えと気持ちをよく表しているので、その言葉から始めよう。

今から3年前、2017年11月のことだ。私はアメリカのラジオ番組に出演してこう言った。

「もし私がいま10歳の日本人ならば、自分自身に『AK－47』を購入するか、もしくは、この国を去ることを選ぶだろう」

AK－47とは、旧ソ連が開発した自動小銃の名前である。10歳の子供が自動小銃を買うというのだから、何とも物騒な発言だ。当時、大きな話題になり、日本にも伝えられて同様に話題になったと聞いている。

もちろん、子供が銃を買って実際に撃つことを言っているのではない。子供が大人になった時に、街で暴動が起きているかもしれない、それほど日本では今後、社会問題が深刻になるから、そんな日本で自分の身を守るためには銃が必要になるかもしれないという趣旨で述べたのだ。

## 100年後に日本はなくなる!?

私は日本が好きだ。私は2回、世界一周旅行をしているが、東京ほど豊かな食文化を持つ都市はほかにはない。京都のように、歴史を保存している都市も各地にある。素晴らしい場所がとても多く、高く評価している国の一つだ。

だが、残念ながら、このままいけば日本は50年後か100年後にはなくなってしまうかもしれない。日本人はいなくなり、日本語は話す人がいなくて滅んでしまっているかもしれないと思う。

なぜか。簡単だ。子供を産まなくなった日本は人口が減少しており、一方で毎日、借金が増えているからだ。

日本の抱える借金はものすごい金額だ。借金だから、それは返済しなければならない。返済するには皆が働いて経済が活発になる必要があるが、活発な経済活動の原動力になる人口がどんどん減っている。これでは借金を返しようがない。足し算と引き算の問題で、とてもシンプルな事実だ。

過去50年で見ると、世界で最も成功した国は日本だ。その日本がこれから坂道を転げ落ちるように衰退していく。

どの社会でも同じだが、人口を維持するには女性1人当たりが2・07人の子供を産まなければならない。それが日本ではどうだ。最新の2019年は1・36まで下がってしまっている。15年ほど前の一番低い時よりはましになっているそうだが、これでは維持どころか人口はどんどん減っていくしかない。

日本の研究所の予測によると、今後は減少ペースを速め、40年後の2060年には日本の総人口は、現在の1億2700万人が9300万人程度まで減る。その時の14歳までの年少人口は全体のわずか1割だ。

日本の将来を考えると、ものすごい勢いで子供を増やしていく必要があるが、202

## 日本の出生数、合計特殊出生率の推移

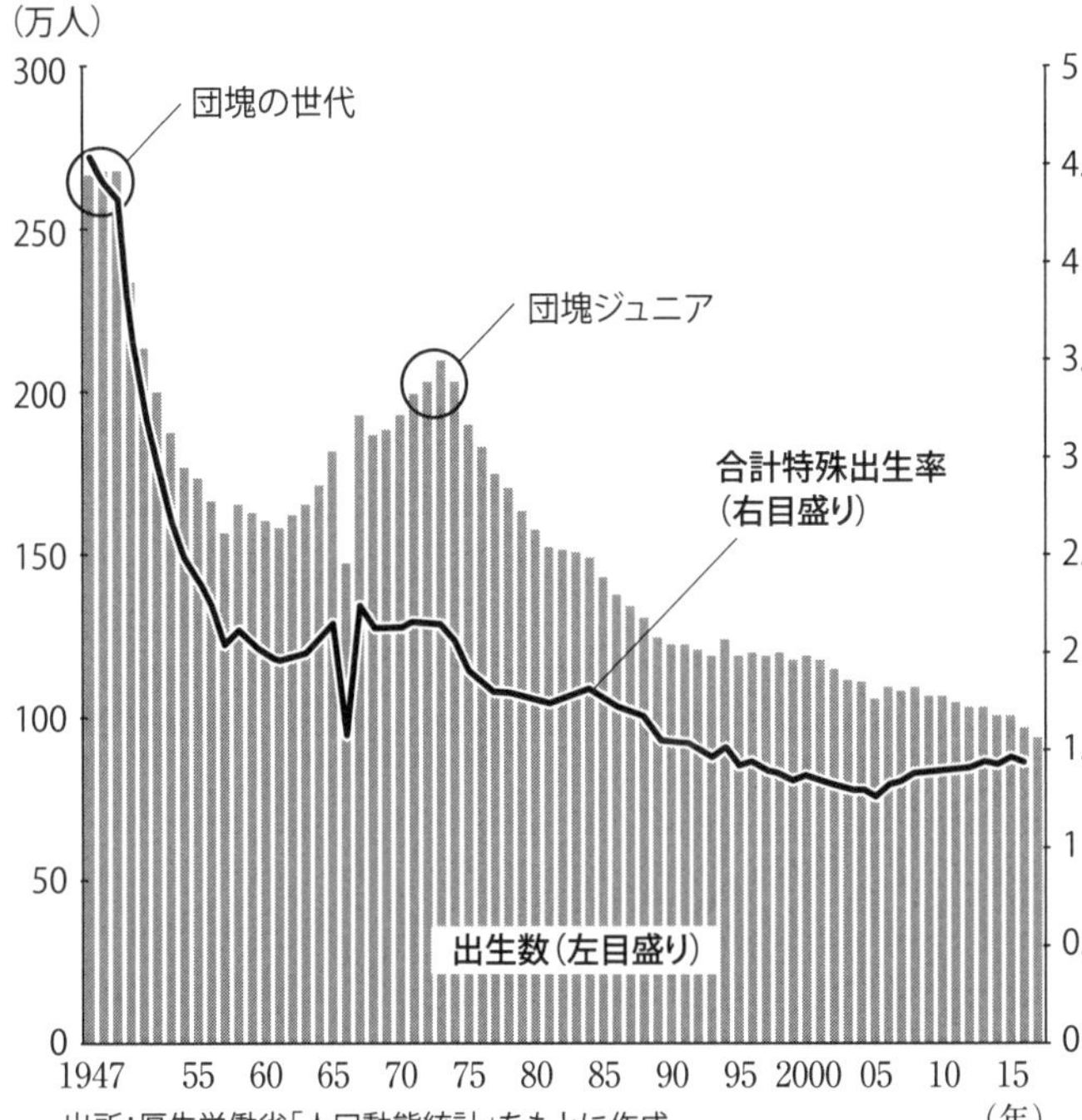


出所:厚生労働省「人口動態統計」をもとに作成

0年時点ではそれは成功していない。

## GDPの2倍に迫る日本の国債残高

日本が衰退するもう一つの原因は借金だ。

日本が抱える長期債務（普通国債）残高は2019年度末で898兆円。コロナウイルスの感染拡大で1人当たり10万円を支給するなどのバラマキをしたため、2020年度末は1千兆円近くにまで膨らむ見通しだ。国債残高の、国内総生産（GDP）の2倍超えが見えてきた格好だ。

借金は国債だけではない。政府全体の債務残高でみると、とうの昔にGDPの2倍を超えてしまっている。

長期停滞がはじまった1990年代から日本は借金を積み上げるペースを速めてきた。国債残高で言えば30年前には160兆円程度しかなかったのに、2005年ごろに500兆円を突破しその後も加速度的に借金を積み増してきた。

日本の借金体質は、もはや自らでは直せないレベルに達しているように思う。通常の

## 戦後における我が国財政の変遷（名目額）

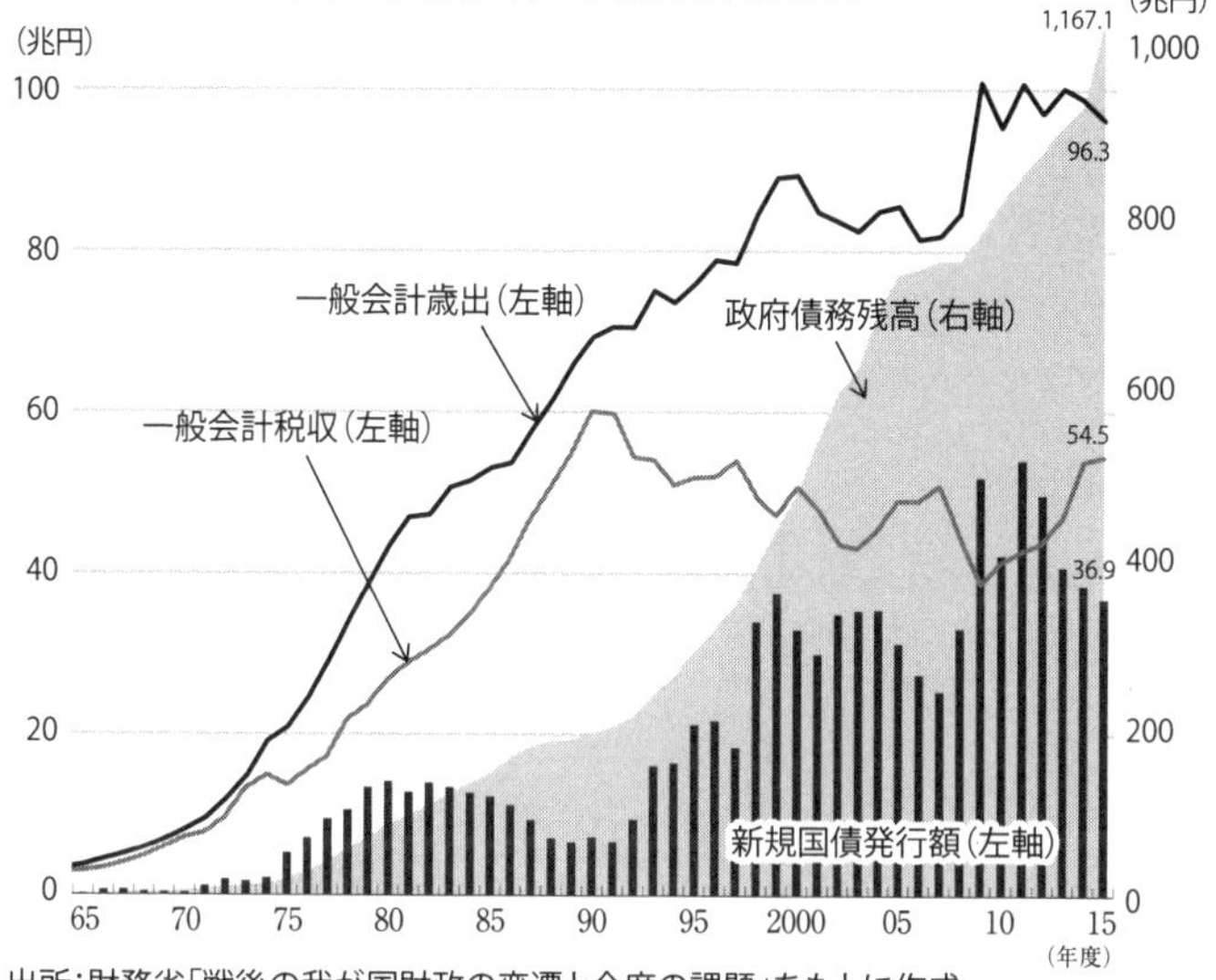


出所：財務省「戦後の我が国財政の変遷と今度の課題」をもとに作成

政策を実行するのに必要なお金を、新たな借金に頼らず、その年の税金で賄えているかを示す数字、プライマリーバランス（ＰＢ）自体が巨額の赤字続きだからだ。

借金が借金を生む連鎖構造を長年、続けてしまい、もはやそこから抜け出せないのは火を見るより明らかだ。

第1章でも述べたが、学術的な研究によると、歴史的に見て国の債務の対ＧＤＰ比が１００％を超えるようになると、その国は債務の対ＧＤＰ比が小さい国々のようなスピードでは成長できなくなるという。

このままいけば、今の子供が大人

になったときの日本の借金は目も当てられないほどのひどい状態になっているだろう。

今のところ発行される国債は大半を日本人が買っているが、日本国内だけで国債を捌《さば》けなくなった時が怖い。そんな時、こんな借金だらけの国の国債を買ってくれる外国人がいるとは思えない。そうなると、日本は金利を引き上げざるを得なくなる。金利が上がると国債の利払い費が増え、膨大な借金の利払いが難しくなっていくだろう。そこが、日本崩壊の始まりだ。

借金でがんじがらめになっている国が、今後も今のように治安が落ち着いているとはとても思えない。不安が漂流している社会では、いつ暴動や犯罪が起きてもおかしくないのだ。

この章の冒頭で、私が10歳の子供だったら自動小銃を買うか、日本から逃げ出すかのどちらかを選ぶと述べたのは、こういう予測による。

日本衰退は必然なのである。

## アベノミクスもデタラメだった

お先真っ暗になるのは、現実に行われる政策が間違っていたからでもある。人口減少に手を打たず、積み上がった借金を放置している日本の指導者の責任は重い。

株価を上げたため、首相だった安倍氏を評価する投資家も一部にいるが、安倍氏が行ってきた経済政策は、ほぼすべてが間違いだった。

アベノミクスの第1の矢である金融緩和は、円安に誘導し、確かに日本の株価を押し上げた。しかし、日銀が紙幣を刷りまくり、そのお金で日本株や日本国債を買いまくれば株価が上がるのは当たり前だ。引き換えに、日本円の価値は下がり、いずれ物価が上がっていくと、今度は国民が苦しむ羽目になる。

こうした通貨の切り下げ策で、中長期的に経済成長を達成した国は歴史上一つもない。これらの施策は一部のトレーダーや大企業だけにしか恩恵はないのだ。

ここまで縷々《るる》述べたように、第2の矢である財政出動も日本を破壊するための政策でしかない。国の借金を増やし続け、それでもなお間違った経済政策が続けられた。

安倍氏の行動原理は自分や自らの体制を維持することにあったのだろう。しかし、そのツケを払うのは日本の若者だ。こんなに間違った政策を続けたのは、本当に対策を迫られる時には自分はこの世に生きていないと思っていたからだろう。

繰り返して言う。だからこそ日本に住む10歳の子供だったら、少しでも早く日本を飛び出すことを考えると言っているのだ。近隣の中国や韓国に住んだほうが、よほど豊かな生活が送れるに違いない。

日本は新しいリーダーの下で、競争力を高めるために規制を緩和し、子育て環境を整えて子供を増やすなど政策転換を急ぐべきだろう。

## 2　日本人は外国人が嫌い　移民も受け入れない

2019年暮れ、日産自動車前会長のカルロス・ゴーン被告が、保釈条件に違反してレバノンに海外逃亡したことは日本と日本人に衝撃を与えた。

しかし、私がこの件で興味を持ったのは、ゴーン被告が海外メディアのインタビューなどに答えて、日本の差別意識について言及していたことだった。

ゴーン被告はレバノンやフランスとともにブラジルの国籍も持っているが、例えば、ブラジルの有力紙の取材に対して、次のように答えていた。

「私はブラジル人だが、ブラジル人は日本人からあまり評価されない」

日本人による差別があったことを示唆する発言だ。

ゴーン被告の行為についての善悪は別にして、私も日本人が外国人に対してとる差別的な言動にしばしばとまどうことがある。ゴーン被告も、同じことを感じたことがあるのかと思ったのだ。

バブル経済の崩壊後、経営破綻の一歩手前に立っていた日産を起死回生させた「日産リバイバルプラン」の発表から、すでに20年以上が経過した。

出口の見えない不況の中、工場閉鎖や人員削減など、当時の日本では敬遠されていた痛みを伴う再生計画を断行し、日産を危機から救ったゴーン被告。輝かしい実績を持つ外国人経営者を牢屋に押し込めてしまったのは、日本人の「外国人嫌い」を再認識させる出来事だといえはしないか。

国連は2018年、日本には在日外国人に対する職業差別、入居差別、教育差別などがあると勧告した。コロナ禍が始まる前は労働力不足が盛んに叫ばれていたが、移民の受け入れにあまり積極的でなかったのは、21世紀に入っても外国人に対する差別意識が抜けていないからだ。

その証拠に、相変わらず外国人参政権を認めておらず、日本の有権者も外国人を排斥する政策を掲げる政治家を選び続けてきた。

## なぜ旧ビルマは転落したのか

日本がどの道を進むかは日本人が判断すべきだが、歴史上の事実に耳を傾けるなら、豊かになるには移民を受け入れるしかないのは明らかだ。日本の人口が増えていた時代であれば、豊かな国内需要だけでもビジネスを成功させることができたが、人口減少が進む今は違う。

「外国人に仕事が奪われる」「治安が悪くなる」など、物事がうまくいかなくなると、誰もが外国人のせいにして、移民を排斥しようとする。しかし、これは逆効果で、結果的に経済を衰退させていく。

かつて、東南アジアで最も豊かな国であったビルマがその典型だ。

ビルマは1962年、クーデターによって独裁的な軍事政権が支配する国になり、鎖国的社会主義体制がとられた。1988年の政変でできた軍事政権は国名をミャンマーに変えたものの、政府は外国人追放を命令し、国境を封鎖し続けた。アメリカの経済制裁やインフラ不足を背景に、ビルマはアジアの最貧国へと転落していった。

これに対し、シンガポールやアメリカなどは、頭脳明晰で教育水準が高い有能な移民を積極的に受け入れることで、経済成長に成功した。

移民は彼らを受け入れる国にアイデアをもたらし、活気を生み出してくれる。アメリカの場合、アマゾン、アップル、フェイスブックなどの新興企業の多くは、移民にルーツを持つ人物が創業している。

## 変化を受け入れるか、消え去るか

日本が衰退の一途をたどっている背景には、前述したように少子化や財政赤字といった根本的な問題がある。それを放置していたら、行きつく先は破滅しかないのも先に述べた通りだ。

日本には二つの選択肢しかない。「変化を受け入れる」か「消え去る」かだ。といっても、私の印象では日本社会は柔軟性に欠けている。しかも、それは年々ひどくなっているようにも思える。

例えば以前、富士山近くのレストランで「ライスを食べたい」と言ったら、「メニュ

**在留外国人数の推移**（各年末）

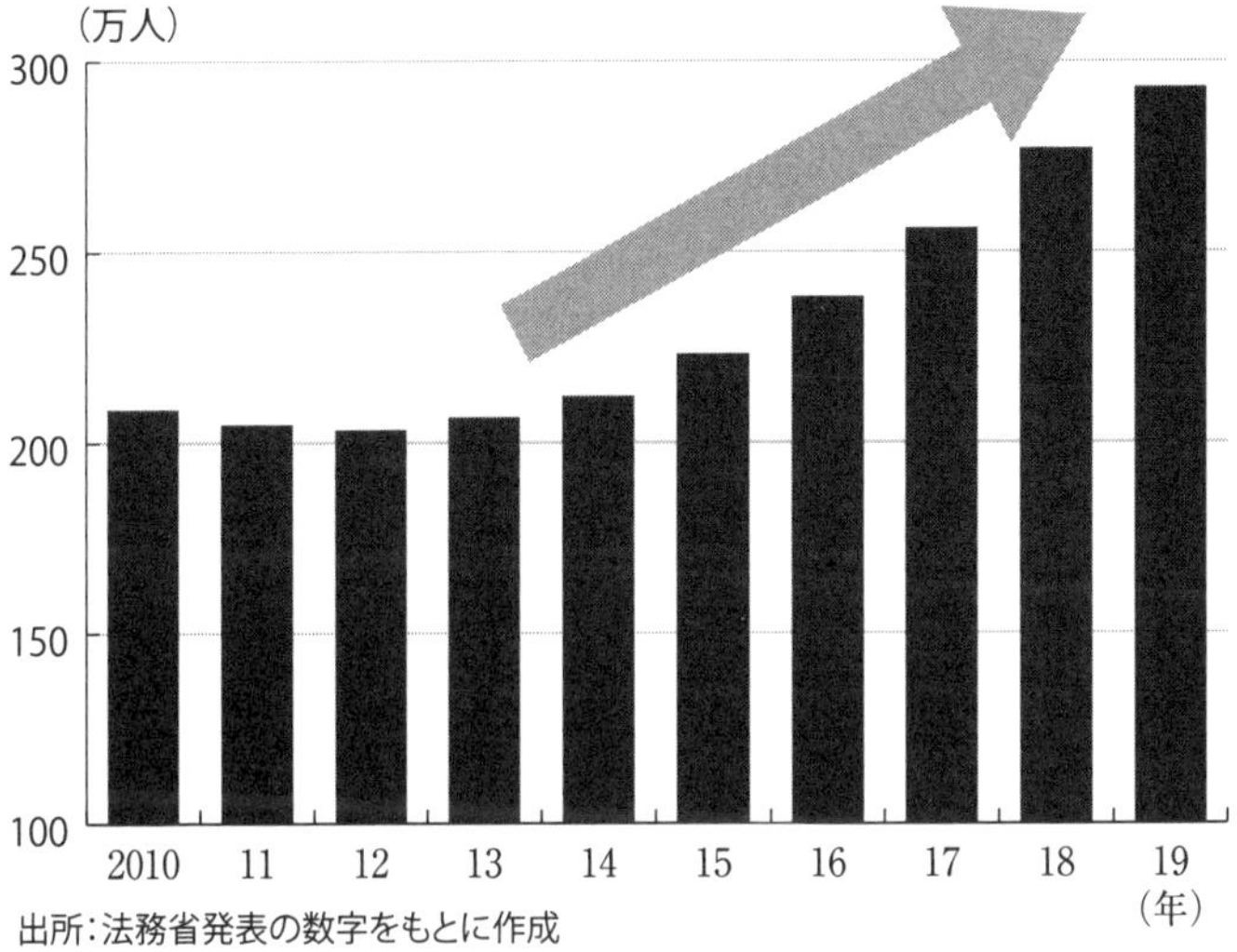


出所：法務省発表の数字をもとに作成

ーにないものは出せません」と言われた。

　ところが、メニューには寿司がある。「ライスはあるはずだ」と言っても、「出せない」と言う。そこで私はマグロの寿司を大量に注文してネタだけを取り、シャリを茶碗に入れて食べた。「ライスはあるじゃないか」と言ったが、それでも「メニューにないものは出せません」と言われた。

　日本が柔軟性に欠ける理由の一つは、やはり移民が少ないからではないか。閉じた国は、やがて勢いを失う。これが事実だ。

　50年前、沼地だったシンガポールは

国を開き、賢く成功した人々を招き、急成長した。外国人が集まるところは成功する。閉じこもった国は苦しむ。

もちろん、移民を無制限に受け入れることは新たな問題を生む。だが、移民は新しいアイデアやビジネスのやり方、そして新しいマネーを持ち込んでくる。

## 移民は新しい産業を生む

日本人にとって、移民は新しい投資対象にもなるだろう。例えば、移民が住む住宅を供給したり、移民を取り持つエージェントビジネスを展開したりすることもできる。不動産ビジネスは有望だろう。日本の古民家は価格が安いうえに、外国人が見れば魅力的な住宅に映るようだ。主要都市の物件なら海外の物件と比べてグレード感もある。

このほか、教育に関するビジネスや飲食ビジネスにもチャンスはある。移民を受け入れることは、日本人にとってもチャンスが生まれるのだ。

柔軟性に欠ける日本人だが、変化がまったく見られないわけではない。

日本政府は2019年4月から、在留資格「特定技能」を取得した外国人労働者を5

年間で上限34万5千人余り受け入れるという新しい方針を示した。事実上の移民になるともみられているが、変化を受け入れる覚悟として少しは評価したい。

ただ、移民の数が今のように微々たる数字の状況では根本的な解決策にはなりえない。先に触れたアジアの最貧国になったミャンマーも、現在は外国人に門戸を開放するようになった。まったく正しい判断だ。

歴史で何が起きたかに目を向ければ、日本が豊かになるには移民を受け入れるほかない。もう一度、言う。「日本だけでやっていける」とされた時代は終わったのだ。

## 3　それでも有望な産業がある　農業・観光は注目セクター

まだコロナ禍が始まる前の2020年初めごろから、私は前の年にすべて売ってしまった日本株を買い戻す検討に入った。前述した長らく続く金融緩和策でお金が株式市場に向かい、当時、上昇を続けていたアメリカ株につられる形で、日本株も上昇を続けるのではないかと考えたからだ。

まずは日本株と私の最近の関わり方について、簡単に振り返っておこう。

私が日本株を買い始めたのは2011年の東日本大震災の直前だった。その後、震災に伴う経済の混乱で株価が下落したが、日本は震災から必ず復興できると信じ、さらに日本株を買い増した。

そのころ、世界の投資家は日本の株式はどうしようもない状況に陥っているとみていた。平均株価はバブル期の最高値から4分の1にまで落ち込み、まだ下がることもありうる状況だった。そんなときに、あえて日本株に投資した理由は、日本経済は中期的にみれば景気は回復に向かうとみていたからだ。

実際、民主党政権から自民党政権に代わり、日銀が資金供給を増やすというアベノミクスの政策を明らかにしたことも、日本株への投資を決める一因となった。

先に述べたように、金融緩和によってお金が最初に向かう先は株式市場だ。多くの投資家がその原理原則に忠実に行動した結果、日本株価は上昇した。

日銀の金融緩和策は多くの問題をもたらしているが、株式市場にお金が流れ込む効果は期待できたし、ドルに対して円が下落することもわかっていたので、株価の上昇と円安の相乗効果で利益が得られることを私は確信していたのだ。

しかし、日本株への投資はあくまで短期から中期で考えていた。少子化と国の借金が増え続ける中で、日本は長期的には衰退することが避けられないと考えているからだ。

だから19年には日本株をすべて手放した。予想どおり、買った当時よりも株価は値上がりし、私は売却益を得た。

## インバウンドだけでなくアウトバウンドにも目を向けよ

私は、コロナ流行後、すでに一部の日本株を買い始めている。今回も中期を見通した投資だが、できれば成長が期待できるセクターの銘柄を選びたい。長期的な衰退は避けられないが、まだ日本には投資してもよさそうな産業セクターが存在する。

まずは農業だ。

私は日本の農業の将来性には魅力を感じている。できれば、日本に農地を買いたいと本気で考えているほどだ。過疎地の農地は、ほとんど無料と言える安さだ。ライバルが少ない今、農業を始めておけば、15年後には大儲けできるかもしれないと真剣に考えている。

しかし、日本の農業は農業従事者の高齢化と担い手不足という課題を抱えている。ということは担い手さえ見つかれば、競争がない日本の農業には明るい未来が待っている。

担い手の可能性として考えられるのが「移民」だ。外国人の移民を日本の過疎地に移住させられたら、こんなに素晴らしいことがあるだろうか。日本人が動かずとも、移民が増えれば、彼らが自ら農地を買ってくれると思うが、日本政府も若者や外国人を農業の担い手として受け入れる環境を整えていってほしい。

日本政府も半世紀続いた減反政策を廃止し、法改正によって農業への参入の障壁が低くなってきている。実際に農業を効率化させるＩＣＴやＡＩ、ドローンなどの最新テクノロジーを活用する動きも加速していると聞く。

コロナ禍でインバウンドは一時的に入ってこなくなっているが、いずれは人の往来が復活する。外国人旅行者を対象にした観光も極めて有望な産業だ。

日本には歴史的な観光資源がいっぱいある。世界中の一流料理が味わえる日本に来たいと考える外国人は増えるだろう。投資で言えば、インバウンド需要を見込んだ観光関連株も有望だ。

特に、中国人で日本に来る人がまだまだ増える。２００３年に日本を訪れた中国人は50万人に満たなかったが、２０１８年は８００万人を超える中国人が訪れている。アメリカやヨーロッパに行くより、近い日本に行きたいと考える中国人は少なくない。

中国人嫌いの日本人には受け入れられないかもしれないが、お金持ちになりたければ、中国語のツアーガイドを始めるべきだ。

もう一つ、日本政府は地方の活性化に力を入れているが、私はむしろ外国人とビジネスをし、外貨を稼ぐことで日本全体を活性化したほうがいいと考えている。インバウンドだけでなく、アウトバウンドにも目を向けるべきなのだ。

## 4　アメリカ一辺倒を見直せ　アジアで友達を作ろう

2020年は、現行の日米安全保障条約が署名から60年の節目を迎えた年である。米軍に基地を提供して防衛を依存している日本は、アメリカの求めに応じて自衛隊の役割を拡大している。

また、世界各国に貿易戦争を仕掛けるトランプ政権との友好関係を維持しようと、日本政府はアメリカ製の武器購入を増やすなど対米追従を強めている。

しかし、もし私が日本側の人間だったら、アメリカ一辺倒の外交関係を真っ先に見直そうとするだろう。

このままアメリカと同盟関係にい続けたいとは思わない。その理由は、アメリカが戦争に突入すれば、日本も巻き込まれてしまうリスクが高いからだ。

日米同盟は米ソ冷戦の危機が高まる中で生まれた。その後、冷戦の終結からアジアの時代へと移行した今、日米同盟のあり方は変わっていくだろうし、変わらなければならないと思っている。

もし、私が日本側の人間ならば、韓国や中国、台湾と関係を深めようとする。アジアの国々と「敵」として向き合うのではなく、「仲間」になろうとするだろう。

そのためには、日本は中立を守らなければならない。

たとえば、スイスがいい例だ。スイスは第1次世界大戦にも、第2次世界大戦にも巻き込まれることはなかった。ドイツやフランス、オーストリア、イタリア、リヒテンシュタインと国境を接していたにもかかわらずである。今の日本と同じで、巨大な軍事力を持つ国々に囲まれていた。

なぜ、スイスは中立を保つことができたのか。それは、スイスの中にドイツ系やフランス系など、様々な民族が住んでいたからだ。だから、特定の国に加担することなく中立の道を選ぶことができた。

私は先ほど、アメリカの戦争に日本が巻き込まれると述べた。それは、日本が国内に米軍基地を抱えているからだ。韓国にも米軍が駐留している。だから、日本と韓国はアメリカの戦争に巻き込まれざるをえない。私なら、米軍を追い出して米中の対立から中立を保つようにする。

日本が中国、韓国と一緒になれば、巨大な繁栄を生み出すことができるはずだ。ロシアとも手を携えれば、繁栄はさらに大きく広がる。

アメリカのような世界最大の借金国よりも、お金のある国々と親しくするほうが賢明だ。もし自分が誰かと友達になるとしたら、貧乏人よりも金持ちを選ぶだろう。

日米が同盟関係にある唯一の理由は、第2次世界大戦の後、日本がアメリカに占領されたからに過ぎない。しかも、それは、はるか昔に起きた出来事なのだ。

私がもし日本の若者だったなら、「ちょっと待ってくれ。こんなことを私は求めていない。私はお金持ちの中国人や韓国人と友達になりたい」と言うだろう。

でも、日本の外交関係の見直しを阻んでいるのは、日本の有権者たちにほかならない。昔から続いている現状をただ受け入れているのだ。こうした現象は他の国でも起きることだが、日本ではとくに顕著に表れる。

## どうすれば日本は変われるか

有望な産業はなお存在するし、アジア重視の外交に変えていけば新しい可能性が出てくる。変化していけば、日本にはまだまだチャンスがあるのだ。

しかし、何かよほどのドラマチックな出来事が起こらない限り、人は状況に流されて、今あるものをあるがままに受け入れてしまう。日本には現状を疑う人が少ない。日本人がそうしてしまうのは過去の成功体験が原因だ。日本人は毎日、言われたことに従い、ただ一生懸命働いてきた。そして奇跡的な復興と経済成長を実現し、世界有数の経済大国になった。

でも、本当は「ちょっと待って。こんなのはおかしい。今のこの状況を変えないといけない」と世に問う人間が現れるべきだ。

実際は、「何かがおかしい」とわかっていても、誰も何も言わない。おそらく、国家破産の危機や、それに準ずる危機が起こらない限り、日本は変わらないのではないか。日本では毎日人口が減り、借金は増えている。子供は生まれない。これまで述べてきた通り、こうした日本が抱える問題に対する解答は極めて単純だ。「移民を受け入れるか、子供を産むか、もしくは生活の質を落とす」という方法しかない。

頑として変わらない日本では、女性たちが「変化が欲しい」と言うが、何もなければ決して変化は起きない国だ。世界戦争が起きるような劇的な事態に直面して初めて、変わらなければいけないと本気で立ち上がる人が出てくるのかもしれない。

でも、アメリカと日本がロシアや中国を相手に戦争になったら、勝つのはとても難しい。世界地図を見てほしい。同盟関係にある日本とアメリカは、あまりにも距離が遠い。もし、戦争が起きてしまったなら、世界を変えるどころではなくなってしまうだろう。

# 第5章

# 若者に伝えたいこと

## 1　アメリカとアジア圏の教育　決定的な違いは「自尊心」

日本や韓国、中国、シンガポールなどアジアで行われている教育に関しては、「子供に対する要求が多すぎる」といった批判をよく聞いてきた。しかし、私はむしろ、「それこそが望むべき教育だ」と思っていた。

実際、自分の子供をシンガポールの学校に通わせてみると、私が思っていた以上に要求が高く、スピードが速く、活気があった。

子供たちが1年でこなす宿題の量は、私がアメリカで経験した12年間の宿題の総量よりも多い。「やりすぎだ」と感じることもないわけではないが、アジアの教育制度の凄さをしみじみと実感している。

それに比べると、アメリカの教育制度はひどいものだ。私がアラバマ州で学んだ時代と今は全く違う。あのころはまだ、アメリカは教育に対して今よりも投資していたし、子供に対する要求も高かった。

幸い私はよい教育を受け、いわゆる「素晴らしい大学」に進むことができたが、その後のアメリカの教育は地に落ちてしまった。

ある研究によると、アメリカの小中学校は国際テストで上位20位にも入らないという。最近の調査では、アメリカの大学を卒業した人の50%は、新聞の社説を読んで、正しく内容を伝えられないという。

社会人の多くが、クレジットカードを正しく使うための説明書きを読んでも意味がわからないとも伝えられている。

そんなアメリカの教育に未来はない。大学生ですらそのレベルだから、小学生もまともに読み書きができない生徒に育ってしまう。

なぜ、アメリカの教育がそこまで凋落したのか。

親が、子供に勉強をさせるよりも、楽をさせたいと思っているからだ。子供たちが学校での勉強について文句を言ったら、母親は叱咤激励するどころか、「あなたの言う通り、これは難しすぎる」と調子を合わせてしまう。

世界の歴史の中で、どんなに成功した国も頂点に達した後は衰退していく。それは、国民が楽で簡単な道に流されてしまうからだ。

## 教育に「競争」は必要だ

日本の教育も同様だろう。まだ多くの国よりもましなほうだが、それでも両親の世代と子供の世代とでは明らかに違ってきている。「アメリカだから」「日本だから」ではなく、人間とはそういうものだ。

私は娘たちをシンガポールの学校に入れたが、もし彼女たちがついていけなくなったら、インターナショナルスクールに転入させても仕方がないと覚悟していた。

もっとも、そんな心配は無用だった。娘たちはシンガポールの学校で活躍できたし、下の娘は今もよくやっている。だから親としては幸せだ。

シンガポールの小学校は、成績上位者1％に賞を与えるといった激しい競争がある。歴史的にみて競争は人のためになるものだ。もしこうした環境で上位1％に入れなくても、成功している人を見れば自分も頑張ろうと思える。

厳しい競争を経験すれば、もし自分が掲げていた目標を達成できなかったとしても、世の中はそういう仕組みなのだと理解できる。

それなのに、アメリカでは子供たちがうまくいかなかった時にも、自尊心を守ろうとしてしまう。「大丈夫。テストではうまくいかなかったけど、あなたが素晴らしい子供だとわかっている」というように、だ。

「自尊心」というのは本来勝ち取るもので、シンガポールではそう教えている。これに対し、アメリカでは「自尊心を教えてあげるから」と言ってしまうのだ。

国民が現実を直視することを避け、アメリカは衰退の歩みを止められなくなっている。先にも述べたが、新しい大統領が取り組むべき大命題の一つは教育制度を立て直すことだ。

過去10年間で、アメリカの競争力が落ちる一方で、アジアの競争力は急成長した。この明暗を分けた原因のひとつは、教育制度の差にあるのは疑いようのない事実だ。現実を見なければいけないのだと、つくづく思う。

## 2 自分のやりたいことを見つける　根気強く諦めるな

21世紀はアジア、なかでも中国が興隆する時代だ。正直なところ、私がシンガポールに移住したのは娘たちに中国語を学んでほしかったからだ。

2人の娘は2020年現在、16歳と11歳。上の娘はイギリスの寄宿学校にいる。そこへの進学を私は反対したが、本人が行くことを強く望んだ。

彼女の希望を認めてあげてよかった。今、彼女は学校で誰よりも早く手を挙げるなど、とても活躍し、幸せな寄宿生活を送っている。

下の娘は白人として初めての「vice-head prefect」(シンガポールの学校の「副生徒会長」)に選ばれた。

なぜ、そうなったのかはわからない。私か母親がしたことの何かがよかったのだろうか。

ただし当然のことだが、学校で活躍しているからといって、彼女たちが人生で成功できるわけではない。

私が娘たちに教えたいのは根気強さだ。

「賢い人」は必ずしも成功しないし、良い教育を受けたからといって必ずしも成功するわけではない。また、美しい人や才能がある人も必ずしも成功しない。

では、どんな人が成功するのか。

私は、成功するのは「諦めない人」だと思う。何かを学んだ時、最初はうまくいかなくても、諦めずに何度も何度も挑戦する、何事にも根気強く臨む――そんな人が世の中で成功しているのだと思う。

英語と中国語を話せたからといって、それで経営者になれるかというと、そんなことはない。経営者になれるのは、諦めない「クレイジー」な人たちだ。

だから私は娘たちに、「何かをやろうと思ったら、決して諦めてはいけない」と、口を酸っぱくして教えている。

私は、人間はまずは根気強く物事に臨むことが一番だと思っている。

## 自分自身で見つけることが大事

もう一つ、大事なことがある。諦めないこととも絡んでいるが、それは自分が愛することを自分で見つけて、それを追求していくことだ。

母が私に「医者になれ」と言ったので、一時期、私は医者になろうかと思ったことがある。若いころはロースクールを目指したこともあった。世の中を眺めていると、成功を望む人は誰もが弁護士などになるキャリアを望んでいたからだ。

でも、医者や弁護士にならなくて本当によかった。というのも、ロースクールに行く前に自分のやりたいことを見つけることができたからだ。

一番大事なことは、自分が愛することを見つけることだ。

それは両親から言われたことではなく、教師のすすめでもない。もちろん友達の真似をしたわけでもない。どれだけ強調しても強調しすぎることはないが、自分で見つけることが大切なのだ。

自分で愛することを仕事にできた人は、成功するし幸せになれる。

だから私は娘たちに、「自分が何をしたいか、それを自分で見つけなさい」といつも言っている。

もし子供が庭師になりたいと思うのなら、その子供は庭師になるべきだと思う。

その希望を周囲に告げれば、両親や教師たちが「せっかく高い教育を受けさせたのに、どうしたんだ」などと言って反対するかもしれない。また、友達からいろいろな反応が出るかもしれないが、そこで負けてはいけない。自分が好きな庭師になった後のことを想像するのだ。

庭師として懸命に努力を続けていれば、いつか皇居の園庭の世話を任せられるようになるかもしれない。

あるいは自分の店を開いて、それが成功して次々に店を出し続け、アジア中をカバーする一大チェーン店を展開する会社のオーナーになっているかもしれない。当然、そうなれば東京証券取引所に上場することになるだろう。

そうやって日本一の庭師になり、同時にお金も入ってくれば、最初は反対していた両親も「お前はいつもそれを望んでいた。私たちは、こうなるのがわかっていた」と、それまでとは違ったことを言い始めるだろう。同様に教師も「私はずっと応援していたよ」と言うだろうし、友達は「日本で一番になったのだから、仕事を紹介してほしい」と、頭を下げて頼み事をしてくるかもしれない。

こういう未来が待っている可能性があるからこそ、「自分がしたいことを自分で見つける」ことが大切になる。これが、私が教えられる最大のことだ。

## 子供の意思を尊重する

だから私は、娘たちに何かを無理やりさせるようなことは絶対にしない。どんな親も子供に何かをさせようとするものだが、私も妻も絶対にそうしないようにしている。

上の娘が3歳のとき、もしかしたら好きかもしれないと思ってサッカーのレッスンに連れていったことがある。しかし、最初のレッスンで彼女は逃げ出してしまった。サッカーが好きではなかったからだ。

一方、彼女が4歳の時、香港で行われた私の講演会に連れていったら、思いがけないことが起こった。講演で彼女の写真をスクリーンに映してステージに上がるように誘うと、彼女は上がってきて中国語で話し始めたのだ。

参加者たちは大いに盛り上がった。彼女がまた、「良いお母さん」という歌を「良いお父さん」に歌詞を替えて歌ったら、さらに盛り上がった。

このとき私は、「彼女はステージで成功するのかもしれない」と思った。

中国の国営テレビ局、中国中央電視台は、これまでに彼女を4回取り上げている。2020年の正月も、彼女が中国語を話すことについての30分番組を作ってくれた。

彼女は将来、ステージで素晴らしい活躍をするようになるかもしれない。私はそうなれば素晴らしいことだと思うし、その時は彼女のステージでの活動をサポートするべきだろうと真剣に考えている。

子供たちには自分で幸せになれる場所に自由に進ませるつもりだ。

## 3　情熱と旅を大切にする人生　充実と幸せの日々

「情熱」についても同じことが言える。

私は、お金持ちになるために最も大切な資質は情熱だと思う。これさえあれば、何歳になってもやっていける。そして多くの利益を得ることができるようになる。

しかし、ほとんどの人は自分の情熱に気づいていないし、情熱があってもそれを追いかけようともしない。追いかけることを恐れているのかもしれないし、「情熱を追いかけてもお金にならない」と思い込んでいるのかもしれない。

前節の「自分のやりたいことを自分で見つける」こととも絡むが、そのやりたいことをやり抜く原動力となるのが情熱だ。だから、「自分のやりたいこと」とは、「自分が情熱を傾けてできること」と言い換えられる。

自分の情熱に従っていれば、いわゆる「労働」をしなくて済む。労働とは、人に言われてする仕事のことだ。労働をしなくて済むようになれば、毎日、幸せな気分で目覚めることができるだろう。

もちろん必ず成功するとは限らず、成功しないかもしれない。でも、仮に成功しなくても本人はまったく気にしないだろう。人生が充実していて幸せだからだ。

## お金にかえられない喜び

あなたの周りに、そういう人がいないだろうか、経済的にはあまり成功していないが、幸せで人生に満足している人が。

もしいたら、聞いてみるがよい。間違いなく彼らは、お金にかえられない喜びを得ているというだろう。

しかし、成功するとは限らないが、実はこうした人こそ最も成功に近い人であるともいえる。なぜなら、自分がすることを楽しんでいるからだ。

情熱を見つけ情熱のままに動ければ毎日が幸せだ。そのうえ、成功に近づくことができるのだから、これ以上の喜びはない。

そんな人生を送るのに難しいことはいらない。

ここでも第2章で述べた「投資の原則その2」の「自分の知っているものにだけ投資する」を思いだしてほしい。考え方は、これとまったく同じだ。

誰もが雑誌や本を読んだり、テレビを見たり、ネットサーフィンしたりする。例えばネットなら必ず何らかのサイトを訪れる。テレビなら何らかの番組を選択する。

あなたが選ぶサイトや番組がなんであるにせよ、それが出発点になる。自ら積極的に選んだのだから、それらは明らかにあなたの関心を引いたものだ。

ならばそこへ向かえばいい。あなたは、自分で選んだことに情熱を持って取り組むだけなのだ。

一つのことを磨いていけば、10年、20年、いや30年後に見事、花が開くかもしれない。それを導くものこそが情熱だ。だから、あなたは情熱に従うべきだ。

## 28歳まで結婚してはならない

ただし、情熱に流されてはいけないこともある。それは「結婚」だ。

誤解をしてほしくないのだが、結婚はいいものだ。だが、結婚についてちゃんと学ばなければ必ず失敗する。これは、これから結婚を考えている人だけではなく、すでに結婚している人も同じだ。

アメリカでは結婚した人の半分程度が離婚している。特に、近年では熟年層（45歳以上）の離婚が増えている。離婚が増えているのは日本や中国でも同じだ。

結婚は急いではならない。若い人たちは結婚を急ぐ前に、もう少しだけ自分自身と世界について学んでほしい。すでに結婚をしている人も、物事についてもっと学ばなければ、いつか痛い目にあうことを忘れてはならない。

大学を卒業したばかりの22歳の若者は、世の中のことについて何も知らない。感情の制御も難しい。だから、この年頃は恋に落ちやすいし、理由を説明できない行動もしてしまう。若い時の結婚は良いことではないのだ。

投資家も同じだ。若い投資家は自信が持てないのに、感情に流されて損をする確率の高い投資をしてしまうことがある。年を取れば私のように慎重になる。

結婚についてのアドバイスはこれにつきる。「慎重になれ」ということだ。だから私は、娘たちには「28歳まで結婚してはいけない」と話している。その前に結婚するようなことがあれば、「2階に閉じ込めるよ」と宣言している。

## 旅は人間を成長させる

もうひとつ、言っておきたいことがある。

ほとんどの人にとって「旅」が素晴らしい教育になるということだ。

私は娘たちに、大学へ進学するなら、遠くの大学に行くように勧めている。私はシンガポールに住んでいるが、この近くの大学に行くことは許さないつもりだ。遠くに行って自分たちとは違った暮らし方があることを学ぶことは、素晴らしいことだからだ。

私は結婚して20年以上になるが、振り返ると結婚が長続きしている一つの理由は、結婚前に出かけたドライブ旅行にあったのかもしれないと思う。結婚前に私たちは3年間のロードトリップをしたのだ。

他人とドライブするのはとても難しいことだ。シンガポールからクアラルンプールまでの短い時間でも、誰かとドライブするだけで喧嘩してしまう人がいる。それが私たちは3年間も一緒にドライブしたのだ。

旅が終わりに近づいた頃、カリフォルニアである女性が私たちの話を聞いて「世界を旅するなんて私の夢です。羨ましい」と話しかけてきた。

だが、そのあとで私たちの車が2人乗りだったと聞くと、「3年間も2人乗りで？いつも隣り合わせで？」と尋ねてきた。「イエス」と答えたら、「私は婚約者とコネチカットからカリフォルニアにドライブしただけで口をきかなくなった」などと言うではないか。ほとんどの人がそうなのだろう。

妻に「ドライブに行こう」と誘った時、彼女は「素敵」と言って、自分は過去にバックパッカーとして欧州を旅行したことがあるから大丈夫と言っていた。

ところが、旅行を始めて2日目には彼女は家に帰りたがった。その後、私たちはアイスランドで吹雪の中、車の中に閉じ込められた。救助されたとき私は「これこそ冒険だ」と言ったが、妻は「何をバカなことを」と言って怒りだした。3年間、こうしたやりとりが毎日あった。

砂漠の真ん中にいる時などはバスも飛行機もない。一緒にいるしかなかった。それでも結局、彼女はこの旅行のおかげで世界のことを理解するようになった。

私たち夫婦は「修羅場を経験（tested by fire）」しながら見聞を広めたのだ。

ともあれ旅をすればするほど、より多くのことを学ぶことができる。世界がどんなところで、どのように変わり続けているのかも手に取るように理解できるようになる。私は本当に多くのことを旅から学んだ。私の妻も同じだ。だから私はすべての人に、可能なら少なくとも2～3年は自分の国の外に出て過ごすことを勧めている。

そうすると、旅を終えて自分の国に戻ってきた時、あなたはよりよい国民になっているだろう。加えて、自分の国についてより深く知るようにもなっているだろう。

旅は人間を成長させる。

ジム・ロジャーズ×古賀茂明

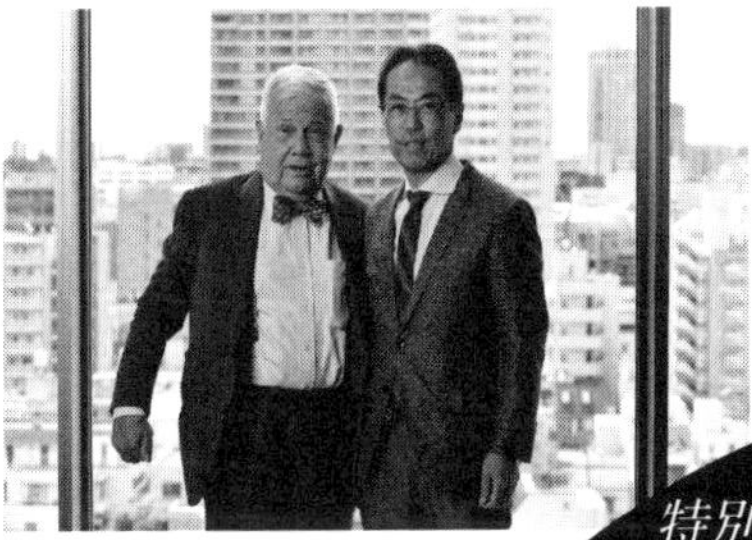

特別対談

# 日本は朝鮮半島統一で取り残される
# 対中国、対立でなく協力を

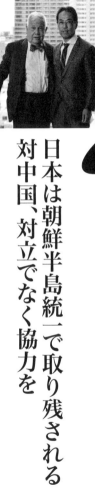

**古賀**　ロジャーズさんは本の中で、安倍政権の政策をいろいろと批判されていますが、その中で最も問題と思われることは何ですか？

**ロジャーズ**　最大の問題は安倍さん自身です（笑）。日本は大好きで、素晴らしい国だと思っていますが、残念なのは、毎年、毎日、人口が減っていること。このままでは、生活水準を切り下げるしかないのに、それが嫌なので、借金をして生活を維持している。借金はどんどん増えていく。計算すればわかりますよね。これは意見ではなく、事実。日本政府と日銀はビジネスでお金を稼ぐのではなく、紙幣を刷り続けて日本経済を維持しようとしている。おかげで株価は上がったが、それで国民が豊かになったわけではない。これはおかしいでしょう。日本人も本当はわかっているはずです。このままじゃ危ないと。

増税で経済にプラスのインパクトを与えたことは過去にありません。あなたがお金を使う場合と、安倍さんがあなたのお金を使う場合、どちらが上手にお金を使うと思いますか？　増税して安倍さんが新幹線や高速道路を造っても、あなたや国民生活にメリットは少ない。

## 小さな政府のほうが効率がいい

**古賀**　そうすると、税収を増やし、国民生活も豊かになるという成長戦略を考える上で、何が一番大事でしょうか。

**ロジャーズ**　財政をジャブジャブ使わないで、もう少し上手にやりくりしたほうがいい。国民が自由に使えるようにするか、もしくは貯蓄したほうがいいと思いますが、安倍さんは貯金するような人ではなく、バラマキをするタイプでしょう。

**古賀**　むしろ、減税してそのお金を国民が使ったほうがいいと。

**ロジャーズ**　そうです。大きな政府より小さな政府のほうが効率がいい。今の時代、借金を増やすこと自体がナンセンスなので、減税して国民が使ったほうがいい。

**古賀**　アメリカで話題になっていますが、日本でも、最近、モダン・マネタリー・セオリー（MMT、現代金融理論）を唱える政治家が増えています。野党や新しい勢力が、「財政赤字のことなんか心配せず、どんどん使えばいいんだ」と主張しています。それで、「金返せと言われたら、政府が金を刷って返すだけだから何の問題もないだろう」という考え方について、どう思われますか。

**ロジャーズ**　この手の話で簡単な答えはありませんが、皆が簡単な答えを求めています。「資本」は必要です。だけど実際、ＭＭＴを主張しても経済的に合理性がないので、継続するわけがないと思います。お札をどんどん刷っても株式市場は、バブルが崩壊する、１９９０年ごろに比べると、50％も下がっているという状況ですよね。

**古賀**　私はＭＭＴをモダン・マネタリー・セオリーじゃなくて、モダン・マネタリー・テロリズムって呼んでいるんですよ。

**ロジャーズ**　おもしろい。私の考えと同じだ。ぜひそう書いてください。

**古賀**　１９９０年代から２０００年代前半にかけてのバブル崩壊の後処理の際、私は産業再生機構を立ち上げてその運営に携わりました。そこで見たのは、政府や銀行が経営破綻したゾンビ企業を税金で助けようとする姿でした。一部の企業については、大胆な破綻処理をやったのですけど、ほとんどは不十分なまま政府が中途半端に助け、それが、尾を引いているような感じがします。

**ロジャーズ**　皆、フリーランチ（ただ食い）をしたかったんですよ。本当は破綻処理をして、ゼロからスタートすればよかったのに、それがうまく行われていなかった。いわゆるお金を持っている人が間違った人に渡して、間違った人たちが運営しているから、うまくいくはずがありません。

## 日本が滅びる可能性

**古賀**　日本は今、インバウンドで潤っていて、それはとても大事なことだと思います。けれど、安倍さんはそれをさらに増やすための一つの柱としてカジノを造ろうとしています。この政策については、どう考えられますか。

**ロジャーズ**　私は、カジノのギャンブルはしませんし、興味ありません。ギャンブルは結局、ギャンブラーが負けるように設計されているのです。シンガポールもカジノができて立派なビルができた。でもそれは、カジノ業者が儲かっているからであって、国民が豊かになっているわけではない。日本は短期的に訪日外国人を呼ぶ政策だけでなく、移民政策を積極的にやったほうがいい。富士山を見に来る外国人はいても、実際に住もうとする人は少ない。2018年の日本の出生数は91万8397人と過去最低を更新中で出生率も1・42と低い。人口が減っているので何とかしないと。

**古賀**　その一方で日本の高齢者人口は過去最高で、総務省の発表では、65歳以上の高齢者の人口が前年比32万人増の3588万人で、総人口に占める割合が28・4％と世界一、2位のイタリア（23％）をはるかに上回っています。

**ロジャーズ**　高齢者が増える一方で若者や人口が減っているので、何かしないと、日本が滅びる可能性があります。将来、日本のおいしい寿司が食べられなくなるかもしれない。世界一おいしい日本のイタリアンレストランもどうなるのか。日本人女性も少なくなってしまいますよ（笑）。現在の日本の人口を維持するには、女性1人当たり2・07人の子供を産む必要があります。出生率を上げられないのであれば、外国から移民を受け入れるほかありません。この意見に対し、異論はあるでしょうか。簡単な算数ができれば、誰でも答えはわかります。

## 中国は軍事よりビジネスで抑制

**古賀**　人口はその国の国力を示す指標の一つです。その点では、世界人口の5人に1人が中国人という中国の台頭がすごい。しかし、日本人の中には、中国を見下すような意識がまだ残っている気がします。

**ロジャーズ**　実は、私も日本が外国人に対してとる差別に戸惑うことがあります。国連も2018年に、日本には在日外国人に対するいろいろな差別があると勧告したほどです。相変わらず外国人参政権を認めていませんよね。19世紀はイギリス、20世紀はアメリカ、21世紀はアメリカと中国、それが歴史の流れです。皆、中国の時代はあまり好きじゃないかもしれないけど、そういう時代なので、受け入れないといけません。アメリカは非常に成長したけど、いろいろな問題も抱えた。不況も15回はきた。それでも、20世紀では、最高の国になったというのが事実です。中国は今から、アメリカと同じようにいろいろな問題が起きるでしょうが、21世紀で中国以上に成長する国はおそらくないでしょう。トランプ大統領との間で経済戦争は起きていますが、私は娘にシンガポールで中国語を学ばせています。

**古賀**　ロジャーズさんは、日本がこれからやるべきことの一つとして、無駄な支出は削れ、そのうちの一つが、防衛費だとおっしゃっています。けれど、潜在的に、中国が日本を占領するのではないかと恐れている人たちもいて、日本も軍備を増強し、中国に対抗しようという考えも根強い。それが安倍政権の考えです。

**ロジャーズ**　対立するのではなくて、経済協力することでお互いがアジアを牽引することを考えましょう。中国は、これまで内戦はいっぱいあったけど、国際的な戦争を実はそんなにしていません。実は平和的な国です。歴史でもそれは証明されています。

**古賀**　元々中国人というのは、資本主義的な考え方を身に付けた人たちで、これから長く繁栄していくためには、どうしても世界と貿易ビジネスをしていかないといけないとわかっている。それが中国の利己的な行動を抑える上で一番の歯止めになるのではないかと思います。軍事で抑え込むというよりは、「ビジネスがやりにくくなっちゃいますよ」と周りに取り込んでいくことのほうが世界のために有効じゃないかと思います。

**ロジャーズ**　私も同意見ですが、政治家は間違いを犯すことが過去にもたくさんありました。日本、中国、韓国にも非常に頭のいい、素晴らしい人がいる。喧嘩して対立することもあっていいですが、チャンスがあれば、ビールを飲んで、楽しく話せばいいのではないですか？　戦争は誰の得にもならないのは、歴史が物語っています。

## 半島統一、実は反対の日本

**古賀**　朝鮮半島情勢が今後、アジアの鍵を握ると思います。北朝鮮の金正恩氏を、どう評価されていますか。

**ロジャーズ**　彼は北朝鮮人じゃないのです。彼はスイスで育ったけど、スイスに帰れない。そういう意味で、北朝鮮をスイスにしたい。北朝鮮に国際的なスキーリゾートを建設したのもそう。鄧小平が中国を変えたように、北朝鮮を変えたいのですね。でも、そういうことは日本でもアメリカでも報道されない。今、日本の報道を見ると、先進国による経済制裁が続き、北朝鮮の人々は困窮しており、「北朝鮮には未来がない」というトーンばかりです。世界中でそうプロパガンダされています。特にアメリカのプロパガンダはひどい。アメリカから学んだ日本でも非常にうまくプロパガンダされています。

だが、実際に北朝鮮を見てきた私にとっては信憑性がない。

**古賀**　アメリカの企業でも北朝鮮へのビジネスチャンスを狙っているところがあるのでしょうか。

**ロジャーズ**　トランプに聞いてほしいのですけど、トランプは何もわかっていません。トランプは歴史に名を残したくてやっているのでしょう。北朝鮮と韓国の統一は遠くない未来に起きると私は思っています。韓国も、アメリカも、中国、ロシアも望んでいるかもしれない。だが、実は日本は南北の統一にはすごく反対しているように見える。朝鮮半島が統一されると、経済的に脅かされるからかもしれませんが……。

**古賀**　仮にうまく南北が完全な統一までいかなくても、国家連合のようになれば、一斉に世界中のビジネスが北朝鮮で利益を得ようと動く。いま、北朝鮮、韓国と対立している日本は立ち遅れる危険性があります。

**ロジャーズ**　北朝鮮と韓国が統一されると、外国から投資を呼び込めるだけでなく、国内の投資も活発になります。日本や中国が現状のままであれば、5年後、アジアで最も裕福な国になるのは、朝鮮半島の統一国家となる可能性が高い。日本の経済を復活させるには内需には頼れず、インバウンドに頼るほかないですが、韓国は国内消費の上昇も期待できます。この点は両国の大きな差です。いま、経済を悪化させているヨーロッパ諸国やアメリカよりも朝鮮半島に可能性があると考えるのは、北朝鮮というフロンティアがあるからです。

**古賀**　しかし、日本と韓国の関係は悪化の一途をたどっています。

**ロジャーズ**　韓国も日本と同じような人口減などの問題を抱えていますが、朝鮮半島の南北統一が実現すれば韓国の人口減は軽減されるでしょう。北朝鮮には若い女性が多く、子供を産むことに躊躇しません。北朝鮮から女性が流入し、改善の見込みがあります。

統一のネックになりそうなのは、アメリカの存在です。アメリカが韓国に駐留させている3万人の軍隊をどうするか？　アメリカのプロパガンダ的に言うと、核を北朝鮮から排除するのがゴールですが、北朝鮮はその代わり韓国に対し、在韓米軍を引き揚げさせてくれと要求するでしょう。アメリカが韓国から米軍を引き揚げたくないと考えるなら時間がかかりますね。ただ、日本や中国が現状のままでいれば、5年後にアジアで最も裕福な国になるのは、朝鮮半島の統一国家だと私は考えています。

**古賀**　日本は中国や韓国、北朝鮮、あるいは東南アジアなどポテンシャルを持った国とどう関係を築けばいいのでしょう。

**ロジャーズ**　中国・日本・韓国がEUのようなアジア共同体といった形で一緒になってキャピタリズム中心になるようつくればよいのです。パワーがあるので、アジアの時代をもっと継続できますよ。

（週刊朝日2019年10月4日号から）

# おわりに

はじめてジム・ロジャーズさんにお会いしたのは、2019年8月、東京・六本木でした。巻末に収録した経済産業省の官僚だった古賀茂明さんと対談をしていただいたことがきっかけでした。実はジムさんを知ったのは、私が担当している古賀さんのコラムによく登場したからでした。それで著書を何冊か読み、目から鱗というか、こうした考え方で世界は動いているのかと、国内政治の動きばかり追っていると取り残されるのではないかと危機感を抱いたことをよく覚えています。例えば、日本で北朝鮮のニュースはネガティブなものが多く、ジムさんのように投資家目線で有望な投資先としてウォッチする考えはほとんどありませんでした。しかし、ジムさんの発想で米国のトランプ大統領や中国の習近平国家主席らの行動を追っていくと別の視界が開けてきました。世の中の秩序、常識は15年で変わる。その次に何が来るか、常に今を疑うことが大事——。

2度目にお会いしたのは同年12月、シンガポールのご自宅でした。ジムさんの世界観を週刊朝日でお伝えしたいと連載コラムをお願いし、快諾していただきました。

古賀さんとの対談を通訳してくれた小里博栄さんに監修をお願いし、朝日新聞前シンガポール支局長の守真弓さん、現支局長の西村宏治さんに現地でインタビューとその和訳をしていただき、小島清利記者、西岡千史記者がコラムの構成を担当しました。

2月にコロナ禍の震源地となった中国・武漢にジムさんがたまたま滞在し、その様子を伺いましたが、まさかその日から世の中がここまで激変するとは想像すらしませんでした。コロナという疫病は世界秩序を一変させ、常識の15年周期をも崩す破壊力をもたらしました。本書にはその未曾有のコロナ危機を乗り越えるためのジムさんならではのアイデア、発想が詰まっています。

本書は週刊朝日で掲載したコラムを再構成し、追加取材をし、一冊の本にまとめたものです。ジムさんはじめ本書に関わってくださったみなさんのご尽力なしには成り立ちませんでした。心より感謝の気持ちと御礼を申し上げます。

週刊朝日編集長　森下香枝

本書構成にあたって参照した
ジム・ロジャーズの既刊書（刊行順）

『お金の流れで読む日本と世界の未来　世界的投資家は予見する』（PHP新書）
『日本への警告　米中朝鮮半島の激変から人とお金の動きを見抜く』（講談社＋α新書）
『ジム・ロジャーズ　大予測　激変する世界の見方』（東洋経済新報社）
『危機の時代　伝説の投資家が語る経済とマネーの未来』（日経BP社）
『ジム・ロジャーズ 世界的投資家の思考法』（講談社）

【取材・編集チーム】
監修　小里博栄
取材　朝日新聞前シンガポール支局長　守 真弓、現支局長　西村宏治
構成　小島清利、西岡千史（週刊朝日）

ジム・ロジャーズ　Jim Rogers
ウォーレン・バフェット、ジョージ・ソロスと並び「世界3大投資家」と称される。1942年、米国アラバマ州生まれ。米イエール大学と英オックスフォード大学で歴史学などを学ぶ。1973年にジョージ・ソロス氏らとクォンタム・ファンドを設立し、驚異的なリターンをあげた。37歳で引退。米コロンビア大学で金融論を教えた後、世界を旅行して、その見聞をもとに投資する「冒険投資家」に。2007年シンガポールに移住後も一貫して投資家としての活動を続けている。『冒険投資家ジム・ロジャーズ 世界バイク紀行』『冒険投資家ジム・ロジャーズ 世界大発見』『お金の流れで読む日本と世界の未来』『危機の時代』など著書多数。

# ジム・ロジャーズ お金《かね》の新常識《しんじょうしき》

コロナ恐慌を生き抜く

2020年9月30日　第1刷発行

著　者　　ジム・ロジャーズ
発行者　　佐々木広人
発行所　　朝日新聞出版
〒104-8011 東京都中央区築地 5-3-2
電話 03-5541-8767（編集）
電話 03-5540-7793（販売）

カバー・本文デザイン　大石一雄
DTP　ヴァーミリオン
チャート　谷口正孝
校閲　朝日新聞総合サービス出版校閲部
特別対談写真　掛祥葉子（朝日新聞出版写真部）
印刷　凸版印刷株式会社
編集担当　首藤由之（朝日新聞出版）


ISBN978-4-02-331918-9　Printed in Japan